"读原著·学原文·悟原理"丛书

《哥达纲领批判》
这样学

孙熙国 张 梧 主编

张 懿 著

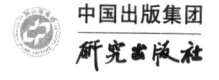

中国出版集团
研究出版社

图书在版编目(CIP)数据

《哥达纲领批判》这样学 / 张懿著. -- 北京：研究出版社，2022.4
ISBN 978-7-5199-1232-1

Ⅰ.①哥… Ⅱ.①张… Ⅲ.①《哥达纲领批判》-马克思著作研究 Ⅳ.①A811.24

中国版本图书馆CIP数据核字(2022)第055459号

出品人：赵卜慧
出版统筹：张高里　丁　波
责任编辑：朱唯唯

《哥达纲领批判》这样学
GEDA GANGLING PIPAN ZHEYANGXUE

张懿　著

研究出版社　出版发行

（100006　北京市东城区灯市口大街100号华腾商务楼）
北京中科印刷有限公司印刷　新华书店经销
2022年4月第1版　2023年1月第3次印刷
开本：787毫米×1092毫米　1/32　印张：4
字数：54千字
ISBN 978-7-5199-1232-1　定价：29.80元
电话（010）64217619　64217612（发行部）

版权所有·侵权必究
凡购买本社图书，如有印制质量问题，我社负责调换。

"读原著·学原文·悟原理"丛书编委会

编委会主任：

孙熙国　孙蚌珠　孙代尧　张　梧

编委（以姓氏笔画为序）：

王　蔚　王继华　田　曦　任　远

孙代尧　孙蚌珠　孙熙国　朱　红

朱正平　吴　波　李　洁　何　娟

汪　越　张　梧　张　晶　张　懿

余志利　张艳萍　易佳乐　房静雅

金德楠　侯春兰　姚景谦　梅沙白

曹金龙　韩致宁

编委会主任

孙熙国，北京大学马克思主义学院教授、博导，北京大学习近平新时代中国特色社会主义思想研究院常务副院长，北京大学学位委员会马克思主义理论学科分会主席，国家"万人计划"教学名师，中央马克思主义理论研究和建设工程课题组首席专家，国务院学位委员会马克思主义理论学科评议组成员，教育部马克思主义理论类专业教学指导委员会副主任委员。兼任国际易学联合会会长，中国历史唯物主义学会副会长，北京市高教学会马克思主义原理研究会会长。

在《哲学研究》等刊物发表学术论文百余篇，著有《先秦哲学的意蕴》《马克思主义基本原理前沿问题研究》（第一作者）等，主编高校哲学专业统一使用重点教材《中国哲学史》，主编全国高中生统用教科书《思想政治·生活与哲学》《思想政治·哲学与文化》，获首届全国优秀教材一等奖。主持"马藏早期文献与马克思主义在中国的早期传播""马克思主义基本原理的学科对象与理论体系"等国家哲学社会科学重大项目和重点项目。

孙蚌珠，经济学博士，教授。现任北京大学马克思主义学院党委书记、习近平新时代中国特色社会主义研究院副院长。教育部高等学校思想政治理论课教学指导委员会委员总教指委主任委员、"形势与政策"和"当代世界经济和政治"分指导委员会主任委员。马克思主义研究和建设工程首席专家，国家义务教育教科书"道德与法治"编委会主任，国家统编高中思想政治教材《经济与社会》主编、国家中等职业学校思想政治教材编委会主任。中国政治经济学学会副会长、中国《资本论》研究会副会长。主要从事政治经济学、中国特色社会主义经济理论与实践研究，获得过北京市科学技术进步二等奖，是全国首届百名优秀"两课"教师、全国思想政治理论课影响力标兵人物、北京市高等学校教师名师、国家"万人计划"教学名师、享受国务院政府特殊津贴专家。

孙代尧，北京大学法学学士、硕士和博士。现任北京大学博雅特聘教授、社会科学学部学术委员和马克思主义学院学术委员会主任,《北京大学学报(哲学社会科学版)》主编。曾任马克思主义学院副院长、学位委员会主席、教育部高校思政课教学指导委员会委员。

先后入选国务院政府特殊津贴专家、中宣部全国文化名家暨"四个一批"人才、国家"万人计划"第一批哲学社会科学领军人才;担任中央马克思主义理论研究和建设工程专家、中国科学社会主义学会副会长等。

主要从事马克思主义理论、社会主义历史和理论等领域的教学和研究。担任教育部哲学社会科学研究重大课题攻关项目、国家社科基金重大项目首席专家。科研成果曾获北京市哲学社会科学优秀成果一等奖等多个奖项。

张梧,哲学博士。现为北京大学哲学系助理教授、研究员、博士生导师,中国人学学会秘书长、北京大学中国特色社会主义理论体系研究中心研究员、济宁干部政德学院"尼山学者"。主要研究方向是马克思主义哲学史、社会发展理论等。曾著有《马克思恩格斯〈德意志意识形态〉研究读本》《社会发展的全球审视》等学术专著,在《哲学研究》等核心期刊发表论文30余篇。

代序

马克思主义可以这样学

马克思主义应该怎样学？马克思主义经典著作应该怎样读？北京大学马克思主义学院以博士生的"马克思主义经典著作研读"课为抓手，进行了积极的探索，走出了一条"读原著、学原文、悟原理"的新路子，逐步形成了马克思主义理论专业人才培养的"北大模式"。

北京大学具有学习、研究和传播马克思主义的光荣传统。北京大学是中国马克思主义的发祥地，是中国共产党最早的活动基地，是中国马克思主义理论教育的诞生地。1920年，李大钊在北大开设了"唯物史观""工人的国际运动与社会主义的将来""社会主义与社会运动"等马克思主义理论课程和专题讲座，带领学生阅读马克思主义经典著作，公开讲授和宣传马克思主义。李大钊在北大所做的这些工作，与拉布里奥拉在意大利罗马大学、布哈林在苏俄红色教授学院、河上肇在日本京都帝国大学进行的马克思主义理论教学和研究工作,共同开启了马克思主义理论进入高校课堂的先河。

一百多年过去了,一代代的北大人始终把学习研究和宣传马克思主义作为自己的崇高使命,始终把马克思主义经典著作的学习研读作为教育教学的一项重要内容。2014年5月4日,习近平在北京大学师生座谈会上的讲话中指出,北京大学是新文化运动的中心和五四运动的策源地,是这段光荣历史的见证者。长期以来,北京大学广大师生始终与祖国和人民共命运、与时代和社会同前进,在各条战线上为我国革命、建设、改革事业作出了重要贡献。2018年5月2日,习近平总书记在北京大学考察时指出,北京大学是中国最早传播和研究马克思主义的地方。中国共产党的主要创始人和一些早期著名活动家,正是在北大工作或学习期间开始阅读马克思主义著作、传播马克思主义的,并推动了中国共产党的建立。这是北大的骄傲,也是北大的光荣。由此我们可以看到,北大具有学习研究和传播马克思主义的光荣传统,具有与祖国和人民共命运、与时代和社会同前进的光荣传统,具有爱国、进步、民主、科学的光荣传统。因此，如果要讲北大传统，首先就是马克思主义的传统；如果要讲北大精神，首先就是马克思主义的精神。北大学习研究和传播马克思主义的精神和传统始终与马克思主义经典著作的研读和学习紧紧结合在一起。

2018年5月2日，习近平总书记视察北大马克思主义学院时指出："高校马克思主义学院就是要坚持'马院姓马，在马言马'的鲜明导向和办学原则，为巩固马克思主义在意识形态领域的指导地位，推动马克思主义进校园、进课堂、进学生头脑，发挥应有作用。"在习近平总书记重要讲话精神的指导下，北京大学马克思主义学院逐步确立了以"埋首经典，关注现实"为基本理念、以马克思主义经典文献学习研读为重要内容的马克思主义卓越人才培养的"北大模式"。其中加强和完善"马克思主义经典著作研读"课程，并对研究生、特别是博士研究生进行马克思主义经典著作的中期考核成为北大博士生培养的一个重要环节。

北京大学马克思主义学院的学生究竟怎样学习马克思主义基本原理？怎样阅读马克思主义经典著作呢？

习近平总书记指出："学习理论最有效的办法是

读原著、学原文、悟原理。"要学好马克思主义理论，就必须要读马克思主义经典作家的原著，学马克思主义经典作家的原文，悟马克思主义基本原理。一句话，就是必须要学好马克思主义经典著作。"马克思主义经典著作"这门课一直是我国高校马克思主义学院研究生的核心课程。北大给硕士生开设的马克思主义经典著作课叫"马克思主义经典著作导读"，给博士生开设的马克思主义经典著作课叫"马克思主义经典著作研读"。我负责博士生的"马克思主义经典著作研读"课始自2010年秋季。一开始是我一个人讲，后来孙蚌珠、孙代尧老师加入进来，再后来马克思主义基本原理所、马克思主义发展史所的老师们也陆续加入到了本课程的教学和研究工作中。博士生的"马克思主义经典著作研读"课程的学习时间是一年，学习阅读的文本有30多篇。北大学习研读经典文本的基本方式是在学习某一文本之前，先由学生来做文献综述，通过文献综述把这一文本的文献概况、主要内容、学界争论的焦点问题、学者研究的基本方法和形成的基本范式梳理概括出来。呈现给读者的这套《读原著、学原文、悟原理》丛书，就是北京大学马克思主义学院2016级博士生在"马克思主义经典著作研读"课程学习过程中,在授课老师指导下围绕所学的马克思恩格斯经典文本完成的成果结集。授课教师从2016级博士生的研读成果中精选出了优秀的研究成果,经反复修改完善,以"读原著、学原文、悟原理"作为丛书书名出版。

本丛书收录了从马克思高中毕业撰写的三篇作文到恩格斯晚年撰写的《路德维希·费尔巴哈和德国古典哲学的终结》等代表性著述20余篇。这20篇著作是北京大学马克思主义学院马克思主义理论一级学科各专业和政治经济学、科学社会主义与国际共产主义运动专业博士生必修课"马克思主义经典著作研读"的必学书目。丛书作者对这20余篇著作的研究状况和研究内容的梳理、概括和总结,基本上反映了北大"马克思主义经典著作研读"课程的主要内容,展现了北大马克思主义学院博士生学习研读马克思主义经典著作的基本情况,是北大博士生阅读马克思主义经典文本、学习马克思主义基本原理的一个缩影。在某种意义上说,这些成果体现了北大马克思主义学院博士生学习马克思主义经典著作的基本方式。因此,我们可以自豪地说,马克思主义经典文本可以"这样读",马克思主义基本原理可以"这样学"。

本书对马克思恩格斯每一时期文本的介绍和阐释主要是围绕以下四个方面的内容展开的。一是对马克思恩格斯这一文本的写作、出版和传播等主要情况的介绍和说明，二是对这一文本的主要内容的介绍和提炼，三是对国内外学者关于这一文本研究的基本方法、形成的基本范式和切入点的概括总结，四是对国内外学者在这一文本研究过程中所涉及到的一些具有争议性的问题或焦点问题的梳理和辨析。在每一章的后面，作者又较为详细地列出了该文本研究的主要参考文献，也就是关于每一个文本的代表性研究成果。本书力图从以上四个方面入手，尽可能客观全面地展示国内外学者关于马克思恩格斯这些经典文本的研究状况、研究结论和研究方法，以期对马克思主义学院师生学习、研读马克思主义经典著作提供参考和借鉴。

马克思主义理论是我们做好一切工作的看家本领，也是领导干部必须普遍掌握的工作制胜的看家本领。我们期望这套 20 本的"读原著、学原文、悟原理"丛书能够在这方面给大家提供一些积极的启示和有益的帮助。

孙熙国

2022.2

目 录 CONTENTS

一、文献写作概况　　001

二、研究范式　　009

三、焦点问题　　026

《哥达纲领批判》为马克思晚年时期与拉萨尔机会主义进行论战而写成的一部经典性的著作，亦是科学社会主义的重要文献。马克思在该部著作中逐条地批判了爱森纳赫派与拉萨尔派达成的妥协性纲领，并进一步设想、诠释和阐发了未来国家的发展阶段、制度、原则等理念和内容，发展了科学社会主义的基本原理，丰富了科学社会主义的理论内涵。经典文本具有穿透历史、经久不衰的宏伟力量，深入学习和研读这部著作，不仅能够提升我们的思想理论水平和马克思主义看家本领，而且对于我们立足新时代正确认识我国的具体国情、科学把握社会主义初级阶段的基本特征、继续推进中国特色社会主义的伟大实践，以实现中华民族的伟大复兴，具有至关重要的指导意义。

一、文献写作概况

为了反击"极其糟糕的、会使党精神堕落的纲领"①，马克思奋笔疾书，于1875年4月至5月写作了《哥达纲领批判》，该作品撰写完成之后并没有能够立即发表，而是经历了15年的沉寂后才勉强得以面世，这当中无疑是一个曲折的历史过程，《哥达纲领批判》的写作和发表都被深深地打上了那个时代的社会背景的烙印。

（一）写作背景

19世纪60年代，欧洲地区的工人运动蓬勃发展并日益高涨，特别是德国更是成为欧洲工人运动的中心地带。当时德国出现了名为"拉萨尔派"和"爱森纳赫派"的两大工人运动派别：所谓拉萨尔派，即为1863年在莱比锡成立的"全德工人联合会"，斐迪南·拉萨尔当选为该联合会的首任主席，其主要观点是大力强调社会改良、主张取消社会革命，强调宗派运动、取消阶级运动，并有使工人群体向普鲁士政府妥协的机会主义行为和倾向。所谓爱森纳赫派，即1867年从"全德工人联合会"退出来的一支左派力量于1869年在爱森纳赫成立的"德国社会民主工党"，奥古斯特·倍倍尔和威

---

① 《马克思恩格斯文集》第3卷，人民出版社2009年版，第426页。

廉·李卜克内西是该党的主要领导人,他们基本遵行马克思主义的革命路线,亦常受到马克思和恩格斯的思想点拨和批评指导。

机会主义的拉萨尔派和革命的爱森纳赫派在对待第一国际、德国统一、普法战争、巴黎公社、无产阶级革命及专政等问题上意见相左、分歧突出,两个派别所显现的原则性分歧,使他们注定难以走到一起。但1871年德国实现统一后,无产阶级与资产阶级的矛盾日益加剧,工人群众团结起来、建立统一的工人组织成为德国工人阶级的现实紧迫需要。此后,两派便开始协商合并事宜,并于1875年2月在哥达举行了合并预备会议。马克思和恩格斯一方面赞成两派联合,另一方面也指出不能因联合而失去底线和原则,要制定科学的纲领路线和合作策略。但爱森纳赫派领导人李卜克内西等不听劝告、抛弃原则,与拉萨尔派拟定了渗透着拉萨尔机会主义色彩的合并纲领草案《德国工人党纲领》。

马克思和恩格斯看到纲领草案后极为愤慨,认为它不仅没有超过而且相比较爱森纳赫纲领还有所倒退。1875年3月,恩格斯写信给爱森纳赫派领导人奥古斯特·倍倍尔,指出"这个连文字也写得干瘪无力的纲领中差不多每一个字都应当加以批判"①，表明他和马克思对纲领草案的否定立场，但这一表态遭到李卜克内西等人的拒绝和抵制。第一次表态没有成功，直接促使了马克思和恩格斯的第二次表态，即马克思在1875年4月至5月期间抱病写成的《对德国工人党纲领的几点意见》(也就是后来的《哥达纲领批判》)，希望爱森纳赫派领导层能够听取批评意见并加以修正，但最终也未能阻止这份草案只是略加进行文字修改后就在1875年5月于哥达正式召开的合并代表大会上顺利通过，即机会主义的《哥达纲领》。

（二）篇章结构

《哥达纲领批判》作为马克思对《哥达纲领》所做的批注性意见，行文方面采取了较为直接、激烈的论战形式，充分体现了马克思在经济思想、政治思想、社会思想和文化思想等方面对拉萨尔机会主义的彻底的批判与超越。恩格斯公开出版的《哥达纲领批判》由序言、书信和正文三大板块组成，即分别是：《恩格斯写的1891年版序言》、马克

---

① 《马克思恩格斯文集》第3卷，人民出版社2009年版，第415页。

思《给威·白拉克的信》以及《德国工人党纲领批注》。①为了使读者更好地掌握到《哥达纲领批判》的历史史料和参考资料，更全面地了解到《哥达纲领批判》写作及发表的相关事由，中文版本的《马克思恩格斯选集》(第3卷)②和《马克思恩格斯文集》(第3卷)③在《哥达纲领批判》文本之前还都分别附上了弗·恩格斯于1875年3月写作的《给奥·倍倍尔的信》。

《恩格斯写的1891年版序言》主要说明了《哥达纲领批判》发表的原因、背景，以及他对于《哥达纲领批判》的词句修改情况，在不影响内容的情况下，删掉了一些涉及个人的尖锐话语。④他指出手稿中之所以有些地方的语气很激烈，是出于马克思和他与德国运动的密切关系以及与拉萨尔主义坚决划清界限的需要，表明了"对拉萨尔开始从事鼓动工作以来所采取的方针的态度"⑤，涉及拉萨尔的经济学原则及其策略。

---

① 《马克思恩格斯文集》第3卷，人民出版社2009年版，第419页。
② 《马克思恩格斯选集》第3卷，人民出版社2012年版，第344页。
③ 《马克思恩格斯文集》第3卷，人民出版社2009年版，第410页。
④⑤ 《马克思恩格斯文集》第3卷，人民出版社2009年版，第423页。

马克思《给威·白拉克的信》是随《哥达纲领批判》一同发表的，详细地说明了《哥达纲领批判》的写作背景。当时马克思在看到纲领草案《德国工人党纲领》之后非常气愤，随即于1875年5月5日给威·白拉克写信，表达了强烈不满及尖锐批判的态度，并随信寄出了他撰写的《对德国工人党纲领的几条意见》，表明他和恩格斯与拉萨尔主义彻底决裂的严正立场。马克思还指出，尽管原则性纲领的制定是人们"衡量党的运动水平的里程碑"①，但决不能以原则作为交易，而应明确立场、绝不向机会主义妥协或投降。

正文《德国工人党纲领批注》包括四章内容，分别针对拉萨尔主义的四个方面，做了细致详尽的批判与阐述：第一章主要批判了《哥达纲领》关于劳动、生产和分配问题的五则条文，阐明了社会主义时期的分配原则和共产主义社会发展阶段的原理。第二章主要批判了《哥达纲领》关于"建立自由国家"和"废除铁的工资规律"的谬论，揭露了资本主义工资的本质，并指出要消灭雇佣劳动制

---

① 《马克思恩格斯文集》第3卷，人民出版社2009年版，第426页。

度。第三章主要批判了《哥达纲领》关于"依靠国家帮助建立生产合作社"的错误途径，认为这只是一种不切实际的幻想，无产阶级应该依靠革命来建立社会主义。第四章主要批判了拉萨尔的自由国家理念，阐述了过渡时期无产阶级革命专政及教育等相关理论，丰富了马克思主义国家观。

（三）发表始末

《哥达纲领批判》内容深邃但又命途多舛，它的发表和问世几经坎坷和波折，之所以在很长一段时间内未能与公众见面，主要原因有三：一是马克思和恩格斯当时把对于纲领草案的批评意见反馈给爱森纳赫派领导人李卜克内西，以帮助和教育为目的，期盼着他能够认识到错误并加以改正即可，没有想着立即发表；二是虽然《哥达纲领》存在原则性错误，但在当时发表后，工人阶级对其做了正面的回应，在实践中并没有影响德国工人运动的发展，因此也就没有当即公开；三是爱森纳赫派领导层千方百计地封锁和阻挠马克思和恩格斯对纲领草案的批判意见，也并不想让广大人民群众了解到这一讯息。以上种种导致马克思在生前未能看到《哥达纲领批判》的公开发表，但马克思和恩格斯与拉萨尔机会主义思潮的斗争一直都在进行,从来没有停止过。

然而,时间行进到19世纪90年代,德国工人运动的形势发生了重大的反转性变化。1890年俾斯麦反动政府废除了《反社会党人非常法》,转而猖狂地实行社会改良路线;是年10月,德国社会主义工人党在哈雷召开党的代表大会,决定拟用新的纲领草案以代替《哥达纲领》。这一时期,党内的右倾机会主义者如伯恩斯坦等人居心叵测、蠢蠢而动,[①]为了彻底清算和铲除机会主义的恶瘤、捍卫真正的马克思主义,在恩格斯的积极努力与毅然抗争下,迫使卡尔·考茨基于1891年1月在《新时代》刊物上以"哥达纲领批注"为标题将其公之于众,恩格斯专门为其写了序言。关于当时的发表情形,正如恩格斯所说:"如果我还不发表这个与这次讨论有关的重要的——也许是最重要的——文件,那我就要犯隐匿罪了。"[②]

《哥达纲领批注》在彼时发表后并未能引起广

---

① 贺团卫:《〈哥达纲领批判〉在中国的早期传播和主要版本研究》,陕西师范大学博士学位论文,2018年。
② 《马克思恩格斯文集》第3卷,人民出版社2009年版,第423页。

大人民群众的普遍重视，直到1933年苏联出版了《马列主义丛书》，该丛书将《德国工人党纲领批注》、马克思《给威·白拉克的信》、恩格斯论《德国工人党纲领批注》的信、《哥达纲领》以及《列宁论〈哥达纲领批判〉》放在一起进行出版，使用的名称为俄语标题 Kritika Gotskoj Programmy（中文翻译为《哥达纲领批判》）。[①] 我国的马克思主义理论及其经典著作最早由苏联传入，受苏联学界的影响很大，因此虽然在编印或排版上对《哥达纲领批判》的内容和篇幅有所调整和稍微改动，但我国还是沿用了《哥达纲领批判》的名称，一直保留使用至今。

二、研究范式

国内外学术界对《哥达纲领批判》的研究异彩纷呈、成果颇丰，整理、总结和概括这些研究的类别、主题、内容及特征，可以发觉主要呈现出四种较为典型的研究范式：基于文本之本身挖掘《哥达纲领批判》的丰富内容，基于传播学视野追踪《哥

[①] 裴晓军：《〈哥达纲领批判〉的传播与研究现状探析》，载《晋阳学刊》2013年第4期。

达纲领批判》的发行情况，基于方法论视角提炼《哥达纲领批判》的辩证思维，以及基于现实性视域解读《哥达纲领批判》的当代启示。

（一）文本学视野：深耕《哥达纲领批判》的思想理论

马克思的《哥达纲领批判》作为一部"种子性"的经典著作，其思想理论内容具有很强的发散性和拓展性，体现了丰富的理论生长点。立足于文本本身，不同研究者从哲学、政治学、经济学、社会学、文化学等不同的角度切入，能够挖掘到《哥达纲领批判》不同的主题内涵，概括出《哥达纲领批判》不同的思想主线。

一是全面解读《哥达纲领批判》的丰富文本内涵。对《哥达纲领批判》这一文本进行逐章、逐节、逐段地细致解说和认真解读，[①] 如钟哲明[②]、梅荣政[③]等采用地毯式解读模式全面阐发了《哥达纲

[①] 经济系七二年级学员编：《〈哥达纲领批判〉解说》，载《辽宁大学学报》（哲学社会科学版）1974年第4期。
[②] 《中华魂》编辑部：《认真读点马列原著20讲》，中央文献出版社2006年版，第86页。
[③] 梅荣政、王冲：《指导国际共产主义运动健康发展的纲领性文献——读马克思的〈哥达纲领批判〉》，载《高校理论战线》2007年第10期。

领批判》的丰富理论内涵,大篇幅地论述了科学社会主义的一系列重要原理和基本理论。蒙木桂通过论证马克思"对拉萨尔主义的批判之一:何谓劳动解放""对拉萨尔主义的批判之二:铁的工资规律""对拉萨尔主义的批判之三:现代社会与现代国家"等对《哥达纲领批判》进行了深入的导读,诠释了《哥达纲领批判》的文本学意义。[1]张云飞则具体从坚持无产阶级的实际运动和科学纲领的统一,劳动不是一切财富的源泉,正确处理生产资料和消费资料的关系,正确处理消费资料分配和生产条件分配的关系,坚持教育和生产劳动的结合,无产阶级革命必须结成广泛的同盟,坚持无产阶级的国际主义原则,坚持无产阶级的革命专政,坚持用现实态度建设社会主义社会,只有在共产主义社会高级阶段才能实现各尽所能、按需分配的原则十个方面对《哥达纲领批判》进行了思想诠释。[2]白铭专注分析了《哥达纲领批判》中关于社会主义总产

---

[1] 蒙木桂:《〈哥达纲领批判〉导读》,中国民主法制出版社2017年版,第 i—ii 页。
[2] 张云飞:《〈哥达纲领批判〉思想诠释》,载《前线》2015年第3期。

品的分配问题等。①

二是深度挖掘《哥达纲领批判》的政治哲学思想。陈培永以劳动的解放来重新审视《哥达纲领批判》的理论主题,认为《哥达纲领批判》是一部以劳动问题为主线,聚焦劳动解放和集中系统展示马克思主义劳动理论的经典的政治哲学著作,②同时它还关涉平等、公平问题,关涉资本主义社会、共产主义社会问题,关涉自由、民主问题,关涉国家职能转变以及国家未来走向等问题。③苗苗则将《哥达纲领批判》作为研究对象,具体考察了《哥达纲领批判》中所蕴含的人类解放思想,探究实现人类解放的现实之路。④庞庆明以《哥达纲领批判》为例,从中理出马克思的政治哲学意蕴,包括:马克思对社会改良主义的系统批判、马克思所论述的过渡时期理论等,并以马克思的政治哲学思想分别分析了中国社会主义改革的社会

---

① 白铭:《关于社会主义总产品的分配问题——从〈哥达纲领批判〉说起》,载《财经理论与实践》1993 年第 5 期。
② 陈培永:《关于劳动问题的政治哲学透视——重读马克思〈哥达纲领批判〉》,载《马克思主义理论学科研究》2020 年第 2 期。
③ 陈培永:《劳动的解放:〈哥达纲领批判〉新读》,红旗出版社 2020 年版,第 2 页。
④ 苗苗:《人类解放之路——马克思〈哥达纲领批判〉研究》,吉林大学博士学位论文,2018 年。

公正取向、社会民主取向和社会和谐取向。[①] 王巍重点从分配理论、公平正义理论以及国家理论（包括国家和社会发展阶段的关系、国家和社会的关系、无产阶级专政和民主的关系）三个维度关注和阐发了该文本中的政治哲学思想。[②]

三是深入研究《哥达纲领批判》的共享发展思想。赵学清梳理了马克思论证共享发展的逻辑理路，指出《哥达纲领批判》蕴含着深邃科学的共享发展思想：社会主义社会主客观生产要素的分配是全体社会成员共享发展的制度基础，联合劳动生产的社会总产品是全体社会成员共享发展的物质基础，社会总产品的社会扣除和按劳分配是全体社会成员共享发展的实现机制，共同富裕是全体社会成员共享发展的必然结果。[③] 魏俊丽、李墨从社会主义社会的生产方式与分配方式两个方面概括《哥达纲领批判》中的共享发展思想：社会主义生产方式是实现

[①] 庞庆明：《走向一种现实性的马克思主义政治哲学——以〈哥达纲领批判〉为例》，兰州大学硕士学位论文，2007年。
[②] 王巍：《〈哥达纲领批判〉的政治哲学思想》，载《中国党政干部论坛》2013年第8期。
[③] 赵学清：《马克思是如何论证共享发展的——读〈哥达纲领批判〉的体会》，载《中国浦东干部学院学报》2016年第3期。

共享发展的制度基础、社会主义分配方式是实现共享发展的保障机制,并指出这些思想为新时代我国不断解放和发展生产力、深化收入分配体制改革提供了理论指南,也为共享发展理念的推行和共同富裕目标的实现提供了理论依据。[1] 陆敬国则将《哥达纲领批判》中的发展思想分类总结为经济发展思想、政治发展思想、文化发展思想和社会发展思想四个层面。[2] 朱立营探讨了共享的渐进性,认为生产力的发展、生产关系的相应变革都是一个历史过程,因此共享的实现也是一个从低到高的渐进过程。[3]

(二)传播学视野:追踪《哥达纲领批判》的编译出版

1891年《哥达纲领批判》发表后引起了一时的争议,但短暂的争议之后又陷入了"落寞"的境地,俄国十月革命后亟须进行社会主义建设,从而使人们开始重新关注《哥达纲领批判》。当然,苏

---

[1] 魏俊丽、李墨:《〈哥达纲领批判〉蕴含的共享发展思想及其现实意义》,载《中学政治教学参考》2019年第9期。
[2] 陆敬国:《〈哥达纲领批判〉中的发展思想及其当代意义研究》,西南大学硕士学位论文,2011年。
[3] 朱立营:《从〈哥达纲领批判〉看共享的渐进性》,载《中共青岛市委党校.青岛行政学院学报》2018年第2期。

联的建立促使该著作的传播重心也从西欧转移到了东方社会,但不免受到苏联模式的影响,致使《哥达纲领批判》中的某些思想被教条化地理解或解读。这部著作在中国的最早传播得益于1922年5月,熊得山将《哥达纲领批判》翻译成中文后首次发表在北京的《今日》月刊杂志上。中华人民共和国成立后,我国开始组织系统地翻译、出版马克思和恩格斯的相关著作,接连编纂出版了《马克思恩格斯选集》《马克思恩格斯全集》《马克思恩格斯文集》等,均收录了《哥达纲领批判》全文,还出版了《哥达纲领批判》的单行本等多个版本,可见对《哥达纲领批判》编译印刷工作的持续有序推进。

学界对《哥达纲领批判》的发表、出版与传播的考证也呈现出极大的兴趣,涌现出一大批专门研究马克思恩格斯经典著作文本翻译、发行、考据等的学者。裴晓军在《马克思〈哥达纲领批判〉研究读本》一书中介绍了《哥达纲领批判》国内外的主要版本和传播情况,[1]徐耀新考辨了考茨基与《哥达纲领批判》的发表事由,指出考茨基当时基本上是

---

[1] 裴晓军:《马克思〈哥达纲领批判〉研究读本》,中央编译出版社2013年版,第22页。

支持发表《哥达纲领批判》的，这可谓他的功劳之一；尽管考茨基后来堕落成为一个机会主义者、无产阶级革命的叛徒，但不能以他后期的言行来否定他在前面的作用和贡献。[①] 贺团卫主要对《哥达纲领批判》在中国的早期传播和主要版本进行了研究，具体包括：《哥达纲领批判》的形成和发表、《哥达纲领批判》在中国的早期零星传播、1922—1925年间，《哥达纲领批判》的主要版本、20世纪30年代到70年代《哥达纲领批判》的版本变迁、《哥达纲领批判》不同版本中核心概念的变迁等内容。[②] 彭继红、孙鹏懿透过探究李达对《哥达纲领批判》的翻译，指出李达从革命阶段的系统勾画、革命理论的逻辑阐释和实践特色的通俗表达等多方面对中国道路的探寻做出了基础性的理论贡献，而挖掘这些贡献对于我们进一步深化中国道路发展规律的探索具有十分现实的启发和引领价值。[③] 文传

---

① 徐耀新：《考茨基与〈哥批〉的发表》，载《南京师大学报》（社会科学版）1981年第3期。
② 贺团卫：《〈哥达纲领批判〉在中国的早期传播和主要版本研究》，陕西师范大学博士学位论文，2018年。
③ 彭继红、孙鹏懿：《从翻译〈哥达纲领批判〉看李达对"中国道路"的探寻》，载《湖南科技学院学报》2020年第1期。

洋通过分析中文版《哥达纲领批判》的一条译文来深入阐发按劳分配问题;①金奕基于比较何思敬、徐冰合译本《哥达纲领批判》和唯真校订的集体翻译本《哥达纲领批判》这两种通用版本,指出了《哥达纲领批判》中译本里的一处误译;②刘子威认为《哥达纲领批判》中文版里有两处不确切译文及其误解都有待商榷;③于光远则在查证相关资料后直接提出《哥达纲领批判》流行的中译本里的"共产主义社会高级阶段"应译成"共产主义社会的一个更高的阶段";④等等。

(三)方法论视野:分析《哥达纲领批判》的理论逻辑

《哥达纲领批判》既是一部阐述科学社会主义基本原理和理论内涵的经典著作,也是一部论证马克

---

① 文传洋:《〈哥达纲领批判〉的一条译文与按劳分配问题》,载《经济问题探索》1983年第3期。
② 金奕:《关于"哥达纲领批判"中译本的一个误译》,载《经济研究》1959年第8期。
③ 刘子威:《〈哥达纲领批判〉中两处不确切译文及其误解的商榷》,载《经济问题》1979年第4期。
④ 于光远:《〈哥达纲领批判〉中译本里的"共产主义社会高级阶段"应译成"共产主义社会的一个更高的阶段"》,载《马克思主义研究》1987年第3期。

思主义的世界观与方法论的重要文本，该著作中字里行间的相关论述体现了辩证思维、底线思维和革命立场等科学的方法论原则。

一是辩证思维。常昌武指出，《哥达纲领批判》阐发了科学的理论、贯穿着伟大的原则，这部著作中对未来社会发展的描述、对社会主义社会最基本的经济特征的论述、对社会主义社会总产品分配原则的勾勒都体现了科学的认识论与方法论。[1] 严书翰认为，《哥达纲领批判》的亮点在于其所体现出来的立场观点和科学方法：马克思在《哥达纲领批判》中坚持鲜明的无产阶级立场；他不仅严厉批判了《哥达纲领》中拉萨尔主义的错误，而且在批驳拉萨尔错误的观点和主张中还提出了重要的思想和观点，以及在批判中贯穿了辩证系统的方法。[2] 白雪秋具体分析指出，马克思在《哥达纲领批判》中关于分配方式与生产方式的相关论述就充分诠释了辩证的特性：消费资料的分配"是生产条件本身分

---

[1] 常昌武：《科学的理论 伟大的原则——读〈哥达纲领批判〉》，载《经济问题》1990年第4期。
[2] 严书翰：《如何把握和理解〈哥达纲领批判〉》，载《毛泽东研究》2017年第5期。

配的结果";"分配决定论"的实质是维护资本主义私有制;劳动只有在具备了生产资料的前提下才是财富的源泉;"不应当泛泛地空谈'劳动'和'社会'"及其分配。① 范畅提出,《哥达纲领批判》的核心问题是原则与现实孰轻孰重的问题,不能武断地说马克思主义哲学重现实、轻原则,马克思主义哲学的现实性要在厘清辩证法否定性概念的基础上进行全面理解,进行辩证否定的考量。②

二是底线思维。《哥达纲领批判》告诉我们,任何时候都绝不能拿原则做交易,它给后人留下了诸多启示:马克思主义政党的底线,是不拿原则做交易;修正主义必然导致谬论;纲领对于政党具有根本性作用;先进意味着彻底和坚持。③ 郑今坚定认为,思想路线和政治路线的正确与否决定着一切,要不折不扣地同一切机会主义路线斗争到底,在路

---

① 白雪秋:《〈哥达纲领批判〉精学导读》,科学出版社2019年版,第71页。
② 范畅:《辩证否定的考量——读〈哥达纲领批判〉和〈爱尔福特纲领批判〉》,载《马克思主义哲学研究》2010年年刊。
③ 淼森:《不拿原则做交易——读〈哥达纲领批判〉》,载《中国纪检监察报》2018年7月3日第7版。

线问题上丝毫没有调和的余地。[1]任厚奎、刘恩庭也指出，马克思、恩格斯早在创立他们的学说时，就为无产阶级的党制定了一条马克思主义的革命路线，概括起来就是：依靠无产阶级，团结农民和小资产阶级，打击地主资产阶级，通过暴力革命的道路，打碎旧的国家机器，建立无产阶级专政，实现共产主义。任何时候都不能背叛这个路线。[2]刘田具体分析了马克思对拉萨尔派工人运动观念的批判，核心内容体现在：在阐述科学共产主义思想的过程中，批判拉萨尔派对待工人阶级的荒谬的阶级立场与扭曲的价值取向；批判拉萨尔对待分配问题和社会主义的简单的认识论和庸俗的方法论；批判拉萨尔派对待无产阶级联盟的偏颇的认识论和教条的方法论；批判拉萨尔派对待国际主义的狭隘的认识论和错误的方法论。[3]

三是革命立场。坚持无产阶级革命和无产阶级

---

[1] 郑今：《在路线问题上没有调和的余地——学习〈哥达纲领批判〉》，载《北京师大学报》(社会科学版) 1974年第2期。
[2] 任厚奎、刘恩庭：《决不能拿原则做交易——学习〈哥达纲领批判〉的体会》，载《四川大学学报》(哲学社会科学版) 1975年第4期。
[3] 刘田：《马克思对拉萨尔派工人运动观念的批判——读〈哥达纲领批判〉》，载《前沿》2019年第2期。

专政是马克思主义的精髓，也是甄别真假马克思主义的试金石。石树认为，《哥达纲领批判》作为阐述牢固坚持无产阶级专政、反对社会改良主义的光辉文献，这部科学共产主义文献为国际工人运动指出了前进航向，一直引导和鼓舞着全世界无产阶级的革命斗争，鼓励人们始终保持乐观、鲜活、豁达、进取的革命精神和革命意志。[1]李征平也积极支持马克思主义的社会革命论，主张不断革命、反对复辟倒退，坚持辩证唯物主义和历史唯物主义，反对唯心主义及修正主义之谬论。[2]洪涛指出，理论问题不能含糊不清，理论含糊不含糊，不仅是个理论问题，而且也是一个政治问题，如果理论问题搞不清楚，就很有可能在实践过程中误入歧途。所以，一定要搞清楚马克思主义关于无产阶级专政的理论问题，搞清楚马克思主义的国家观，搞清楚思想路线、政治路线的问题，搞清楚马克思主义基本理论的完整的思想大厦。如此，才能保持清醒的头

---

[1] 石树：《坚持无产阶级专政的光辉文献——纪念〈哥达纲领批判〉写作一百周年》，载《北京师范大学学报》（社会科学版）1975年第2期。

[2] 李征平：《坚持继续革命 反对复辟倒退——学习〈哥达纲领批判〉的一点体会》，载《西北师大学报》（社会科学版）1974年第3期。

脑、坚守科学的理论并指导正确的实践。[①]

（四）现实性视野：阐发《哥达纲领批判》的当代启示

除了上述从文本学视野、传播学视野、方法论视野来解读和研究《哥达纲领批判》，还有一些学者致力于从现实性视域阐发《哥达纲领批判》的当代价值和现实性意义，旨在通过深入、学习和研究《哥达纲领批判》的丰富思想理论内涵，能够带给我们一些价值性的启示作用，以指导我们当下的发展、建设和实践。

一方面，以《哥达纲领批判》论证中国特色社会主义理论与实践的科学性。孟鑫通过从发展阶段、所有制形式、国家制度以及分配制度等方面，研究《哥达纲领批判》中马克思对未来社会的原则构想和规划，对比分析中国特色社会主义理论，得出中国特色社会主义理论的科学性主要体现在：坚持了科学社会主义的基本原则。包括初级阶段论深化了科学社会主义的社会主义发展阶段理论，基本经济制度体现了科学社会主义所有制学说的本质，分配制

[①] 洪涛：《理论问题不能含糊不清——学习〈哥达纲领批判〉的一点体会》，载《郑州大学学报》（哲学社会科学版）1975年第1期。

度完善了马克思的分配学说；运用了马克思主义的世界观和方法论。即坚持了马克思主义的社会历史观，坚持了马克思主义的实践性，具有与时俱进的理论品质，展现了社会主义的价值目标。分别是发展目标与社会主义的价值目标相统一，通过现实途径追求社会主义的价值目标，实现人的发展与国家发展、社会发展、自然发展相统一的四重统一。[1] 万资姿、冯浩则认为，政治原则上的无产阶级的革命专政、经济原则上的按劳分配以及社会原则上的公平正义作为《哥达纲领批判》中所揭示出的科学社会主义理论的最重要的三个原则，也是准确认识中国特色社会主义制度科学性的重要依据。[2] 荣兆梓基于《哥达纲领批判》解读了社会主义基本经济制度的历史、理论与实践，认为"三位一体"的社会主义基本经济制度，是中国特色社会主义政治经济学的最新成果，标志着理论发展的一个新阶段。[3]

---

[1] 孟鑫：《论中国特色社会主义理论的科学性——从〈哥达纲领批判〉谈起》，载《科学社会主义》2017年第4期。
[2] 万资姿、冯浩：《〈哥达纲领批判〉与中国特色社会主义制度》，载《中共中央党校（国家行政学院）学报》2020年第1期。
[3] 荣兆梓：《从〈哥达纲领批判〉到社会主义基本经济制度三位一体的新概括》，载《政治经济学评论》2020年第1期。

另一方面，从《哥达纲领批判》汲取思想理论资源指导当代社会主义建设。张扬分析指出《哥达纲领批判》是建设社会主义的伟大指针：一是关于共产主义社会发展的两个阶段的理论，启示我们要牢固地树立共产主义的崇高理想，坚定共产主义社会制度一定能够实现的信念，为共产主义事业努力奋斗；实现共产主义社会制度，必须具备充分的物质条件和精神条件。二是关于社会主义社会的分配和社会主义经济工作的重要论述，为我们提供了建设社会主义必须遵循的基本原则：处理好个人、国家和集体的关系，处理好社会主义积累和消费的关系，正确理解和灵活践行"各尽所能，按劳分配"原则。三是关于在过渡时期实行无产阶级革命专政的理论，对于我们坚持实质上是无产阶级专政的人民民主专政，并正确运用国家的职能，推进社会主义建设具有重要意义。[1]冯文华剖析了《哥达纲领批判》中马克思的分配观[2]、社会主义观在中国社

---

[1] 张扬：《建设社会主义的伟大指针——学习马克思〈哥达纲领批判〉》，载《青海师范学院学报》（哲学社会科学版）1983年第1期。
[2] 黄奇敏：《〈哥达纲领批判〉的分配思想研究》，广西民族大学硕士学位论文，2017年。

转型时期的现实诉求。[①]高翔莲、胡家贵认为,我国现阶段实行的按劳分配制度与《哥达纲领批判》中马克思所设想的按劳分配原则有一些差异,为此有必要全面认识我国现阶段的分配方式的层次性和目前存在的非劳动收入,更加注重分配中的公平问题。[②]徐斌、冯楠楠指出,马克思在唯物史观框架下构建的社会主义按劳分配的形式公正和共产主义按需分配的实质公正的分配原则,对构建当代中国分配公正具有重要的理论价值和实践意义:要在社会主义生产方式下实行按劳分配的分配方式、根据我国国情确立多种分配方式并存的分配公正、在贯彻新发展理念实践中追求共享发展的结果公正。[③]宋成飞[④]、王学荣[⑤]还分别从伦理学和消解资本逻辑的负面效应等角度解析了《哥达纲领批判》的当代

[①] 冯文华:《马克思"两观"在中国社会转型期的现实诉求——基于〈哥达纲领批判〉》,载《今日中国论坛》2013年第1期。
[②] 高翔莲、胡家贵:《从〈哥达纲领批判〉看我国现阶段的按劳分配制度》,载《湖北社会科学》2007年第10期。
[③] 徐斌、冯楠楠:《〈哥达纲领批判〉的公正思想及其当代价值》,载《中国高校社会科学》2018年第2期。
[④] 宋成飞:《〈哥达纲领批判〉的伦理思想研究》,湖南师范大学硕士学位论文,2019年。
[⑤] 王学荣:《当代中国的资本逻辑表现形态、双重效应及其求解——基于〈哥达纲领批判〉的文本源流》,载《商业时代》2013年第21期。

启示，做到真正利用资本以实现人们的美好生活。

三、焦点问题

学界在对《哥达纲领批判》进行研究和探讨的过程中，既有观点相一致的地方，也不乏意见相左之处，但都是对《哥达纲领批判》做了很好的探索，在学术的争锋与争鸣中促进了人们对《哥达纲领批判》文本内容的全面性理解和思想理论的全方位挖掘。概括而言，学界围绕《哥达纲领批判》而引申和延展出来的焦点问题主要体现在十四个大的方面："哥达合并"的历史功过、《哥达纲领》的两种不同评价、《哥达纲领批判》的反响、财富源泉论、劳动资料是否为资产阶级所垄断、关于"铁的工资规律"这一说法来自哪里、马克思此时有无明确提出集体所有制、分配理论的"斯芬克斯之谜"、马克思正义观的论战、关于"过渡时期"划分的疑惑、坚持还是反对无产阶级专政、对马克思教育思想的挖掘、对马克思平等观的阐发、对马克思国家观的剖析。下面将具体地分述这十四个论题。

（一）"哥达合并"的历史功过之争

1875年5月，"德国社会民主工党"（爱森纳赫派）与"全德工人联合会"（拉萨尔派）在哥达召开了合并大会并实现了两派的合并，这可谓德国社会民主党乃至国际共产主义运动史上的一件大事。长期以来，学界对"哥达合并"的历史功过问题展开了热烈而充分的争论，评价褒贬不一，主要有两种针锋相对的观点。

一是认为"功大于过"。这种观点指出，爱森纳赫派与拉萨尔派的合并在客观上大大增强了力量，能够使两派联合起来对付共同的敌人，采取的策略还是有不少可取之处的，[1]这种合并应予以充分肯定。[2]向春阶认为两派合并是德国历史发展的必然，也是德国工人运动发展的要求，他充分肯定了"哥达合并"的功绩，将"哥达合并"的"功"总结为两点：合并推动了社会民主主义运动的发展，使党有了进一步的发展和壮大；[3]它彻底结束和埋葬了拉萨尔的个人独裁的组织原则，通过了一个贯彻党内

---

[1] 周尚文：《略论哥达合并的功过》，载《华东师大学报》1982年第5期。
[2] 吴琦生：《评李卜克内西的合并策略》，载《惠阳师专学报》（社会科学版）1987年第1期。
[3] 王礼训：《试论哥达合并的功过》，载《世界史研究动态》1981年第7期。

民主,实行集体领导和互相监督的组织章程,^①这一点对德国党的建设和整个国际共产主义运动都具有重大意义。^②此外,孙景峰还指出,"哥达合并"体现了广大党员要求联合的强烈愿望,解决了彼时当务之急的问题;^③周作翰、邓可吾也对"把'哥达合并'看成爱森纳赫派对拉萨尔派的投降"这一观点提出质疑,认为不能背离具体的历史观点夸大妥协的程度、合并是必要的、妥协是不可避免的重大策略,这种妥协丝毫不同于投降。^④

二是认为"过大于功"。此种观点认为,"哥达合并"根本是在拿原则来做交易,丧失了革命底线,合并是牺牲了过高的代价换来的,完全不值得,只能表明爱森纳赫派对拉萨尔派的绝对投降。^⑤孙耀文一方面认为,当时两派合并的条件并没有成

---

① 校纪英:《从组织上埋葬了拉萨尔派》,载《世界史研究动态》1982年第1期。
② 向春阶:《浅析哥达合并的历史功过》,载《湘潭大学学报》(社会科学版)1993年第4期。
③ 孙景峰:《近年来我国学术界对哥达合并研究综述》,载《惠阳师专学报》(社会科学版)1988年第1期。
④ 周作翰、邓可吾:《哥达合并是爱森纳赫派对拉萨尔派的投降吗?》,载《湘潭大学社会科学学报》1982年第3期。
⑤ 刘成成:《马克思〈哥达纲领批判〉中的平等思想》,山东大学硕士学位论文,2019年。

熟，合并基础不够，拉萨尔派提出合并只是为了急于摆脱自身的内部危机和艰难困境，而绝不是出于维护德国工人阶级利益的忠心和诚意；另一方面，他对李卜克内西的合并策略也提出了批判，认为李卜克内西背弃了在科堡确定的"要统一、不要合并"的正确策略，匆忙进行合并，向拉萨尔派领导层做了丧失原则的错误让步。[1]万中一也指出，爱森纳赫派和拉萨尔派并非性质同一的工人政党，而且当时也不存在合并的大方向，这种丧失原则的合并造成了党在组织上的不纯、思想上的混乱和理论水平的下降，甚至会诱发其他问题，因此，"哥达合并"对德国党的建设和发展来说是一个曲折、一次倒退。[2]

"哥达合并"究竟是"功大于过"还是"过大于功"呢？这可能需要我们采用辩证唯物主义与历史唯物主义的分析方法，对"哥达合并"当时的社会背景进行深入的考察和全面的研判。历史的发展是

---

[1] 孙耀文：《肯定应该恰当——就哥达合并问题与王礼训同志商榷》，载《世界史研究动态》1982年第1期。
[2] 万中一：《怎样看待爱森纳赫派与拉萨尔派的合并问题》，载《华东师大学报》1982年第3期。

由多种"合力"共同决定的、是必然性与偶然性的结合，我们既要注意到"哥达合并"时的各种不利因素，也应肯定"哥达合并"在历史进程中所起到的作用，不能陷入极端评价的漩涡中。

(二)《哥达纲领》的两种评价之辩

既然学术界对"哥达合并"展开了历史功过的评价之争，与此相应地，也难以避免讨论《哥达纲领》的作用及价值，学界对《哥达纲领》的文本意义的认识，从不同的侧重方面亦形成了迥然相异的两种评价。

一种观点认为"应该完全否定"。"应该完全否定"论认为《哥达纲领》是一个特别糟糕的会使党堕落的纲领，词句写得干瘪无力、缺乏营养、杂乱无章、没有层次、本身毫无内在的逻辑联系可言，处处充斥着腐朽、令人毛骨悚然的不当谬论，[①]差不多里面的每一个字都应该加以强烈地批判和否定，[②]而且这个纲领还严重降低了德国工人运动的水平，

---

① 马伯钧：《〈哥达纲领批判〉研究综述》，载《信阳师范学院学报》（哲学社会科学版）1994年第4期。
② 裴晓军：《马克思〈哥达纲领批判〉研究读本》，中央编译出版社2013年版，第37页。

从而成为以后机会主义泛滥的渊薮。①

另一种观点是"不能完全否定"。"不能完全否定"论认为应当予以包容地看待《哥达纲领》，拘囿于当时德国工人运动发展局势和马恩著作在德国的被接受、被传播情况来说，很难制定出一个内容科学、绝对严谨的纲领，不能过分地奢求其完美无瑕。不管怎么说，内容有些不足的《哥达纲领》确实促使了爱森纳赫派和拉萨尔派的合并达成，由两派共同起草、投票通过的《哥达纲领》在很大程度上也反映出了两派的理论水平，且因为当时特殊的历史条件和时代背景，《哥达纲领》中的错误，大部分没有完全付诸实际，对工人阶级的理论与实践发展或多或少也起到了一些积极的影响，因此其负面作用无疑是非常有限的。②

显然，完全否定《哥达纲领》的存在价值是有失公允的，按照马克思主义的辩证法，在对事物肯定的理解中亦包含着对其否定性的理解，否定与肯

---

① 孙景峰：《近年来我国学术界对哥达合并研究综述》，载《惠阳师专学报》（社会科学版）1988年第1期。
② 孙景峰：《〈哥达纲领〉功大于过》，载《平原大学学报》1986年第4期。

定是相互联系和相互渗透的，这并不是主张一种调和主义，而是说应该从正反两方面去审视《哥达纲领》，既不能忽略当时客观的社会背景，也不能对之全盘否定或抛弃，而应对其进行符合历史辩证法的科学评价，避免庸俗主义的错误评价方式。

(三)《哥达纲领批判》发表的反响

《哥达纲领批判》是马克思针对《哥达纲领》而写的批判性的论战著作，伴随着评价"哥达合并"与《哥达纲领》的两种不同声音，对《哥达纲领批判》的作用同样出现了观点不一致的议论，在当时，它一经发表就引发了态度不一的社会反响。

观点一：高度赞扬及肯定《哥达纲领批判》在当时的直接作用，社会反响良好。持这种观点的代表人物有拉法格、奥地利社会民主党等，他们认为，《哥达纲领批判》是一部非常优秀、经典的作品，它细致深入地批判了《哥达纲领》的错误，首次对拉萨尔主义做了系统的清算，给了其致命性的打击，还阐述了无产阶级政党的理论基础、战略、策略等相关思想内容，给国际工人运动以极大的精神鼓舞和强大的精神力量，对发展共产主义意义重大。如拉法格就曾称赞：马克思关于批判哥达纲领的那篇文章简直好极了。奥地利社会民主党也说：《哥达纲领批判》是历史馈赠给我们的马克思主义的一部经典杰作，是我们的伟大导师的丰富遗著中极其珍贵难得的部分。此外，莱比锡提案还引用了《哥达纲领批判》中的一些话，采纳了其中的一些观点。可见，《哥达纲领批判》在当时起到了积极有效的作用，发挥了正面有利的影响。

观点二：极力歪曲和否定《哥达纲领批判》在当时的直接作用，社会反响较差。持这种观点的代表人物主要是李卜克内西、倍倍尔、梅林、伯恩斯坦等人。他们格外贬低《哥达纲领批判》的作用，对《哥达纲领批判》进行大肆攻击。如李卜克内西实质上并不赞成马克思和恩格斯的观点，他说，工人不是学究，不需要在称金的天平上称量每一个字的精准性；党的健全的理智也不在于纲领用语及表达的精彩与否，而是要注重实际的目标的实现，因此说合并纲领使党毁灭是完全没有根据、完全站不住脚的。倍倍尔直言，他不同意马克思对拉萨尔的猛烈攻击，指称如果他事先接到通知、预料到马克思的信的内容，他就会打电话给考茨基、让考茨基拒绝发表《哥达纲领批判》。梅林也批评马克思，这次把事物放在显微镜下观察，过分在意词句的不练达、不恰当、不准确等这些小缺点、小问题，实在是过于吹毛求疵了。伯恩斯坦也认为马克思是在过分苛刻地解读纲领，执意去寻找拉萨尔派领导层本没有的弦外之音。甚至更离谱的是，芝加哥的《先驱报》扬言，马克思的《哥达纲领批判》是出于私人仇恨和忌妒而作。①

当然，第二种观点是笔者所不能同意的，通过对当时的社会历史背景的深入了解，以及对马克思写作初衷的认真领会，我们知道马克思断定不是出于私人恩怨来批判拉萨尔派及《哥达纲领》的，而是为了国际共运的伟大事业，马克思一生当中"可能有过许多敌人，但未必有一个私敌"②。况且后来的历史实践也证明了拉萨尔机会主义的荒谬和错误，证明了马克思《哥达纲领批判》的重要价值。

（四）劳动是否是一切财富的源泉？

在《哥达纲领》中，有一句话直接说道："劳动

---

① 马伯钧：《〈哥达纲领批判〉研究综述》，载《信阳师范学院学报》（哲学社会科学版）1994年第4期。
② 《马克思恩格斯文集》第3卷，人民出版社2009年版，第603页。

是一切财富和一切文化的源泉。"[1]马克思向来高度重视劳动及实践的重要作用,肯定其重要地位,但马克思面对这一说法还是明确地提出了反对:"劳动不是一切财富的源泉。自然界同劳动一样也是使用价值(而物质财富就是由使用价值构成的!)的源泉,劳动本身不过是一种自然力即人的劳动力的表现。"[2]实际上,回溯整个经济学说史的历程,可以发现围绕"劳动是否是一切财富的源泉",一直存有两种不同的观点。

一则,赞同"劳动是一切财富的源泉"。这种观点即是拉萨尔主义者在《哥达纲领》中所展现出来的观点,他们过度地拔高劳动的地位,认为财富的源泉就是劳动,其所持的主要理由有三个方面:其一,财富是相对于社会需要的满足而言的,因此也可以说,只有对人有用的劳动产品才可说得上是财富的源泉。对人有用的物质的具体形式是人通过劳动创造的,是劳动将原始的材料变成了财富。其二,财富的源泉即财富来自哪里、如何得来等,讲的是财富的产生、创造、源源不断的生产,因此

---

[1][2]《马克思恩格斯文集》第3卷,人民出版社2009年版,第428页。

自然界为创造财富提供了物质条件，但只有自然界却不能直接得到各种各样的财富，所以劳动生产才是财富的源泉。其三，"劳动是一切财富的源泉"是"他自己不劳动，而依赖别人的劳动来生活"的逻辑前提，他自己不劳动，就得靠别人的劳动生活，必须有人劳动才能够维持一定的财富和日常的生活。[1]

二则，反对"劳动是一切财富的源泉"。这种观点即马克思在《哥达纲领批判》中所阐述的关于劳动的基本观点，主张要坚持唯物史观，在充分考虑到劳动资料、劳动对象、生产资料归属等的情况下科学、客观、理性地认识劳动的地位，不能认为劳动具有超自然的创造力或魔力，而也应给予自然界一个合适的地位及评价。这种观点具体指出，马克思在对"劳动是一切财富的源泉"这一论点提出反对意见时，首先界定了这里所说的"财富"的内涵，即特指由使用价值作为内容元素构成的物质财富，而不是资本主义社会的商品生产中以价值的形式而存在的财富。劳动只是物质财富的源泉之一，

---

[1] 李明桂：《〈哥达纲领批判〉中的公平分配理论研究》，中国社会科学出版社2017年版，第5页。

它和自然界共同构成物质财富的源泉。巧妇难为无米之炊，只有劳动而没有自然界提供的原材料、生产工具等，人们是不能够创造出财富来的。

因此，在分析"财富的源泉"时，我们要辩证地看待人的劳动与自然界的交互关系，人通过劳动与自然界互相作用、相互成全。[①]一方面不能认为劳动是万能的、劳动可以创造万物，这由此可能陷入唯心主义的泥淖；另一方面也不能忽视劳动，不能认为自然界根本不用劳动来生产财富、因为大自然本身就是珍贵的宝藏、巨大的财富，这种说法实际上也是忘记了财富、财产是从属于人的劳动而形成的概念，没有人的劳动，大自然亦不能称为财富或财产。[②]因此，我们要客观、中正地看待大自然与人之劳动的地位，合理评价两者在创造财富中的作用。

（五）劳动资料为资产阶级所垄断吗？

马伯钧在《信阳师范学院学报》(哲学社会科学

---

① 孙熙国：《唯物史观的创立与人的本质的发现——从〈关于费尔巴哈的提纲〉一处误译谈起》，载《哲学研究》2005年第11期。
② 陈培永：《劳动的解放：〈哥达纲领批判〉新读》，红旗出版社2020年版，第17—18页。

版）1994年第4期发表的《〈哥达纲领批判〉研究综述》一文[①]中，对"劳动资料是否为资产阶级所垄断？"这个问题进行了文献的梳理和内容的探讨，具体呈现为两种观点的对峙。

第一种意见：认为"劳动资料为资产阶级所垄断"的观点是错误的。原因在于三点：一是地产在当时的德国依然处于关键的地位，没有退居到次要地位；二是认为这个说法是对马克思和恩格斯观点的抄袭，即抄自《国际工人协会共同章程》一文中的"劳动资料即生活源泉的垄断"[②]一语，但《哥达纲领》的作者们却删去了"生活源泉"这一能够指明劳动资料包括土地在内的补充语，因此造成这个观点是错误的论点；三是鼓吹劳动资料为资产阶级所垄断，仅仅攻击了资本家，却没有能攻击土地所有者，因此在攻击的对象上有所遗漏，并不全面。所以，正确的说法应该是"劳动资料为土地所有者和资本家所垄断"[③]。

[①] 马伯钧：《〈哥达纲领批判〉研究综述》，载《信阳师范学院学报》（哲学社会科学版）1994年第4期。
[②][③] 《马克思恩格斯文集》第3卷，人民出版社2009年版，第431页。

第二种意见：认为"劳动资料为资产阶级所垄断"的观点是正确的。这种观点的持有者认为，之所以说"劳动资料为资产阶级所垄断"是可以的，是因为这句话有其具体的限定语"现代社会"，又因为现代社会一般就是指资本主义社会，而在资本主义社会中，大土地所有者是属于资产阶级这一范畴行列的，所以，说"劳动资料为资产阶级所垄断"大致上也基本概括了资本主义社会劳动资料的垄断情况。这种观点还认为，第一种意见说"劳动资料为土地所有者和资本家所垄断"[1]其实是不严密的，一是因为资本主义社会也存在着个体经济，这部分人群也占有了一部分劳动资料；二是资本主义社会中也有租赁、承包、股份制等所有权和经营权分离的现象，包括所有权垄断和经营权垄断在内的完全垄断不可能是唯一和普遍的。

马克思对"劳动资料为资本家阶级所垄断"提出了批判，认为在"现代社会"，劳动资料为土地所有者和资本家所垄断（地产的垄断甚至是资本家垄断的基础），这里的劳动资料也包括土地在内，

---

[1] 《马克思恩格斯文集》第3卷，人民出版社2009年版，第431页。

拉萨尔由于同普鲁士首相俾斯麦私下保持着不可见人的秘密关系，只攻击资本家阶级，而不攻击土地所有者，对国际章程做了错误的修订和改动。①

（六）"铁的工资规律"来源何处？

马克思在《哥达纲领批判》第二章第一节中从经济学角度对拉萨尔派所谓的"废除工资制度连同铁的工资规律——和——任何形式的剥削，消除一切社会的和政治的不平等"②进行了尖锐的批判。"铁的工资规律"作为拉萨尔经济纲领和政治纲领的基础，拉萨尔在《公开答复》《工人读本》《论工人问题》等著作中均对其有所论述，然而在"工资规律"前面加上"铁的"一词，虽然语句看起来是通顺的，但并不能掩盖其内容的荒谬性和错误性，这一说法显然违背了经济规律的客观性和人的主体能动性，纯粹是胡说。学界针对"铁的工资规律"的提法也进行了追根溯源，主要有三种不同的认识。③

---

① 《马克思恩格斯文集》第3卷，人民出版社2009年版，第431页。
② 《马克思恩格斯文集》第3卷，人民出版社2009年版，第440页。
③ 马伯钧：《〈哥达纲领批判〉研究综述》，载《信阳师范学院学报》（哲学社会科学版）1994年第4期。

观点一：从歌德的诗句中抄来的。这种观点即马克思所持的观点，马克思在《哥达纲领批判》中指出："大家知道，在'铁的工资规律'中，除了从歌德的'永恒的、铁的、伟大的规律'中抄来的'铁的'这个词以外，没有什么东西是拉萨尔的。'铁的'这个词是正统的信徒们借以互相识别的一个标记。"①新版《辞海》②中的观点亦认为，"铁的"这个词是引自歌德的《神性》中的诗句"我们大家必须顺从永恒的、铁的、伟大的规律，完成我们生存的连环"③，而且拉萨尔派所谓的"铁的工资规律"的论据也是抄自英国的资产阶级经济学家托·马尔萨斯的《人口论》，④并非拉萨尔的专利。

观点二：来源于《共产党宣言》。此种观点是梅林的观点，梅林认为拉萨尔的"铁的工资规律"是从马克思和恩格斯合著的《共产党宣言》中抄袭而

---

① 《马克思恩格斯文集》第3卷，人民出版社2009年版，第440页。
② 辞海编辑委员会：《辞海》下册，上海辞书出版社1979年版，第3913页。
③ 《马克思恩格斯文集》第3卷，人民出版社2009年版，第682页。
④ 《马克思恩格斯文集》第3卷，人民出版社2009年版，第665—666页。

来的，①但拉萨尔却没有学到《共产党宣言》的精髓，背叛了《共产党宣言》的思想实质。从根本上来说，马克思主义的工资理论建基于科学的劳动价值论，是从资本对劳动的需求的角度展开论述的，强调调节工资规律的复杂性和工资的劳动力价值的本质；反观"铁的工资规律"，则是建立在资产阶级的价值理论之上，论述也是从劳动供给对工资的影响的角度来展开的，其根本依据是马尔萨斯的《人口论》，以工资总额不变为前提和基础。

观点三：从李嘉图的著作中抄来。这种观点认为"铁的工资规律"最初是由英国的古典经济学家李嘉图率先提出来的，拉萨尔的"铁的工资规律"理论是抄袭自李嘉图的著作。原因有三：一是恩格斯自己曾经说过，拉萨尔的"铁的工资规律"的主要论据，仅限于不断地重复所谓李嘉图的工资律；②二是拉萨尔自己也承认，他的"铁的工资规律"是从资产阶级经济学家的著作中抄来的，只不过他没有具体说明抄自哪些资产阶级经济学家的著作；三

---

① ［德］弗·梅林：《马克思传》，樊集译，人民出版社1965年版，第393页。
② 《马克思恩格斯全集》第16卷，人民出版社1964年版，第237页。

是一些资产阶级经济学家也认为是李嘉图最先提出"铁的工资规律",如约翰·弗雷德·贝尔在其1967年出版的《经济思想史》(第二版)中、美国丹尼尔·A.雷恩在其1979年出版的《管理思想的演变》(第二版)中均认为是李嘉图发明了"铁的工资规律"。[①]如果从论点、论据及名称来看,拉萨尔的"铁的工资规律"和李嘉图的工资理论的确有着惊人的相似之处。

通过对拉萨尔派"铁的工资规律"理论的内涵本身进行研究,我们可以发现,这种理论的论点和论据都是错误的:其错误论据是马尔萨斯的《人口论》,错误论点是把工资看作劳动的价值或价格,生搬硬套的它违背了科学的剩余价值学说,掩盖了工人贫困化的根源,[②]实是一种陈腐不堪、不堪一击的经济学观点。

(七)马克思有无提出集体所有制?

马克思在《哥达纲领批判》中对所有制理论也

---

① 马伯钧:《李嘉图是"铁的工资规律"的最先提出者》,载《延安大学学报》(社会科学版)1988年第1期。
② 李明桂:《〈哥达纲领批判〉中的公平分配理论研究》,中国社会科学出版社2017年版,第38—41页。

进行了相关论述，阐释了无产阶级要掌控社会主义经济命运必须铲除受剥削、受压迫的经济基础、必须消灭资本主义权贵所有制、必须重视意识形态斗争。[①]那么，马克思究竟有没有在《哥达纲领批判》中明确提出集体所有制呢？理论界有不同看法。

一是认为马克思并没有提出"集体所有制"这个概念。薛暮桥在其发表于《经济研究》1978年第10期的《论社会主义集体所有制》一文中指出，马克思和恩格斯由于当时设想，社会主义革命将在资本主义最发达的国家首先取得胜利，所以他们所说的生产资料的社会主义公有制是指全社会公有制，[②]那时候不可能在马克思主义文献中产生集体所有制这样一个概念。[③]杨玉川在对这一问题进行考证之后，也认为马克思在《哥达纲领批判》中并没有提出"集体所有制"，原因在于以下三个方面：其一，马克思在《哥达纲领批判》中使用"集体"一词，并非就集体所有制而言，这可以从纵观马克思使用

---

① 李明桂：《〈哥达纲领批判〉视角下公有制主体地位的巩固与反私有化》，载《广西社会科学》2017年第2期。
②③ 薛暮桥：《论社会主义集体所有制》，载《经济研究》1978年第10期。

"集体"一词的几个地方得到回答。其二,《哥达纲领批判》的外文版和中文版一样,在"集体"这个词的使用上,并没有所有制的意思。从《哥达纲领批判》中得不出马克思所设想的共产主义社会低级阶段中包括集体所有制的结论,而得出的却是社会占有全部生产资料的本意。其三,不仅马克思在《哥达纲领批判》中所设想的共产主义社会不存在集体所有制,而且就连马克思、恩格斯在其他著作中所设想的共产主义社会也不存在集体所有制。最后,他还指出,要完整准确地理解马克思、恩格斯著作的原意,而不管这种原意是否与我们今天的现实有距离,即使有距离,那只能说明后来的实践发展了,理论也要随着实践的发展而发展,但是绝不能用我们今天的现实去想象在马克思、恩格斯的著作中也是如此这般地写着的,因此,根本没有什么根据说明马克思在《哥达纲领批判》里提出了集体所有制。[1]

二是认为马克思明确提出了"集体所有制"这个概念。古克武、梅文杰对薛暮桥在《论社会主义

---

[1] 杨玉川:《对〈哥达纲领批判〉中所谓"集体所有制"的考证》,载《经济研究》1980年第11期。

集体所有制》一文中，关于"马克思主义文献中不可能产生集体所有制"这一观点提出了质疑并进行了反驳。古克武指出，虽然马克思和恩格斯的原著中没有出现"集体所有制"这样的概念，但不等于没有集体所有制这样的思想，至少在恩格斯1886年1月给奥古斯特·倍倍尔的信和1894年11月写的《法德农民问题》这两篇著作已在马克思主义的文献中最早地提供了社会主义集体所有制这一概念的实际内容。[1] 梅文杰认为，马克思明确地提出了"集体所有制"这一概念，他举例说明如下：马克思在《巴枯宁〈国家制度和无政府状态〉一书摘要》中，在讲无产阶级对待农民的态度时指出，无产阶级"将以政府的身份采取措施，直接改善农民的状况，从而把他们吸引到革命方面来；这些措施，一开始就应当促进土地私有制向集体所有制的过渡，让农民自己通过经济的道路来实现这种过渡；但是不能采取得罪农民的措施，例如宣布废除继承权或废除农民所有权"[2]。这里，马克思不仅明

---

[1] 古克武：《马克思和恩格斯有没有设想过社会主义的集体所有制？》，载《经济研究》1979年第3期。
[2] 《马克思恩格斯全集》第18卷，人民出版社1964年版，第695页。

确提出了"集体所有制"这一概念，而且还对它做了精辟的阐述。可见，这个概念早就形成了。恩格斯1886年1月致倍倍尔的信及1894年写的《法德农民问题》中的观点同马克思的上述思想是一致的。恐怕也正是因为这样，恩格斯在《致奥·倍倍尔》的信中才说："在向完全的共产主义经济过渡时，我们必须大规模地采用合作生产作为中间环节，这一点马克思和我从来没有怀疑过。"[1]梅文杰还指出，近年来的很多文章包括一些教科书，在讲到这个问题时，不是说马克思和恩格斯没有这个思想，就是认为当时不可能产生"集体所有制"这个概念，还有的文章则因为我国存在集体所有制而认为我国社会还不完全属于马克思所设想的社会主义社会。这些说法都是不妥当的。另外，很多文章都说马克思没有设想过集体所有制，并且以此来解说《哥达纲领批判》。其实，这里无非是把马克思没有预见到共产主义低级阶段会存在商品生产理解成马克思没有设想过集体所有制。马克思在这里分析的是"集体的、以生产资料公有为基础的社会"[2]。有

---

[1] 《马克思恩格斯全集》第36卷，人民出版社1975年版，第416页。
[2] 《马克思恩格斯文集》第3卷，人民出版社2009年版，第433页。

什么根据说这里不包括集体所有制呢?[①]

不可否认的是,马克思在《哥达纲领批判》中深刻有力地批判了拉萨尔派在纲领草案中一味避开生产资料所有制问题、空谈所谓"劳动是一切财富和一切文化的源泉"[②]的反动观点,揭露了拉萨尔派竭力维护腐朽的资本主义私有制的反动面目,[③]它告诉我们地主资本家所有制是劳动人民大众受苦受难的祸根,[④]启示我们必须维护生产资料公有制。

(八)分配理论的"斯芬克斯之谜"

马克思在《哥达纲领批判》中,把社会主义社会的按劳分配叫作"资产阶级权利",这被认为是一个"斯芬克斯之谜"[⑤],由此引发出两个方面的争论:一是如何理解这里的"资产阶级权利";二是如何理解"按劳分配"中的"劳"的含义。除此之

[①] 梅文杰:《马克思明确地提出了"集体所有制"这个概念》,载《经济研究》1979年第12期。
[②] 《马克思恩格斯文集》第3卷,人民出版社2009年版,第428页。
[③] 万贵华:《必须维护生产资料公有制——学习〈哥达纲领批判〉的一点体会》,载《广西师范大学学报(哲学社会科学版)》1974年第12期。
[④] 林敏成:《地主资本家所有制是劳动人民受苦受难的祸根——学习〈哥达纲领批判〉的一点体会》,载《福建师大》1974年第4期。
[⑤] 段若非:《段若非文集》,红旗出版社1992年版,第232页。

外，还有对于《哥达纲领批判》中的分配理论的系统阐发。

1.如何理解"资产阶级权利"？

马克思把按劳分配规定为"资产阶级权利"，这是着实令人难解的一个谜团。那么，"资产阶级权利"的概念内涵是什么？它的范畴性质又是什么？如何理解这一概念和破解这一谜团呢？由此呈现出传统观点和新近观点之间的交流碰撞。[1]

一是传统观点：认为这是马克思用商品生产的尺度衡量按劳分配的结果。马克思在《哥达纲领批判》中将共产主义社会区分为共产主义低级阶段和共产主义高级阶段两个阶段，在共产主义社会的低级阶段，"每一个生产者，在做了各项扣除以后，从社会领回的，正好是他给予社会的。他给予社会的，就是他个人的劳动量。……他从社会领得一张凭证，证明他提供了多少劳动（扣除他为公共基金而进行的劳动），他根据这张凭证从社会储存中领得一份耗费同等劳动量的消费资料。他以一种形式给予社会的劳动量，又以另一种形式领回来……

---

[1] 宋朝龙：《〈哥达纲领批判〉中的一处概念辨析》，载《社会主义研究》2005年第3期。

消费资料在各个生产者中间的分配……通行的是商品等价物的交换中通行的同一原则,即一种形式的一定量劳动同另一种形式的同量劳动相交换。所以,在这里平等的权利按照原则仍然是资产阶级权利"①。这是马克思在《哥达纲领批判》中的原话,可见,马克思所谓的"资产阶级权利"指的就是等量劳动相交换的原则。金炳华主编的《马克思主义哲学大辞典》中将其解读为"在以生产资料私有制为基础的资本主义生产关系中产生的,按照等价交换原则通行的形式上平等事实上不平等的权利"②。那么,为什么把等量劳动相交换的原则称为资产阶级权利呢?该观点即认为,按劳分配就其内容(等量劳动相交换)来说是和商品交换相一致的,所以按劳分配的权利是和商品生产者的权利一致的,按劳分配的权利也就是商品生产者的权利。而在资本主义时代,劳动力已成为商品,商品普遍化了;资本主义生产是普遍的商品生产,商品生产者的权利也就表现为资产阶级的权利。既然按劳分配是商品

---

① 《马克思恩格斯文集》第3卷,人民出版社2009年版,第434页。
② 金炳华主编:《马克思主义哲学大辞典》,上海辞书出版社2002年版,第140页。

生产者的权利，商品生产者的权利表现为资产阶级的权利，因而按劳分配也就是资产阶级权利了。这种较为普遍的观点实际上是认为，马克思先用小商品生产者的尺度来衡量按劳分配，然后又拿发达的商品生产（即资本主义生产）的尺度来衡量小商品生产，通过这样曲折的道路就找到了按劳分配和资产阶级权利之间的同一性。[①]

二是新近观点：尝试从生产劳动的二重性视角出发来破解"斯芬克斯之谜"。这种观点对传统观点提出了质疑，指出了上述论证的不合理之处：第一，按劳分配的权利和商品生产者的权利有本质区别。使商品成为商品的并不是交换的内容即等量劳动相交换，而是交换的形式即产品要采取价值的形式来交换；价值形式是用来解决商品经济的特有矛盾即私人劳动与社会劳动的矛盾的。而在按劳分配中已经没有私人劳动的社会性问题，劳动的交换已经不是私人劳动之间的交换，而是交换的双方一开始就处在社会劳动的体现者的位置上。因而既然没有私人劳动和社会劳动的矛盾这一商品经济的本质

---

① 段若非：《段若非文集》，红旗出版社1992年版，第232—235页。

的特征，就很难把按劳分配和商品生产者的权利等同起来。第二，商品生产者的权利就是资产阶级的权利，这也是有问题的。使资本主义成其为资本主义、使资产阶级成其为资产阶级的，并不是等量劳动相交换的法则，而是剩余价值法则。因而，和资本主义比起来，小商品生产更能体现等量劳动相交换的原则，因而更有理由把这种权利叫作小资产阶级权利，而不应该称之为资产阶级权利。这种观点还提出，马克思在衡量按劳分配时，所使用的尺度，既不是小商品生产的尺度，也不是资本主义商品生产的尺度，而是自由劳动的尺度。也就是说，马克思是从人的自由自觉的活动、从劳动是人的第一需要的角度来衡量按劳分配的"资产阶级权利"性质的。因此，破谜的关键在于生产劳动二重性：生产劳动既是劳动者作为主体的自觉创造过程，又是劳动者作为客体的体力耗费过程，这种二重性是造成资产阶级权利的根源。随着生产劳动转化为自由劳动，体力耗费不再成为生产财富的基础，劳动时间不再成为财富的尺度；逃避劳动和转嫁劳动不再是一部分人自由发展的条件，资产阶级权利也逐渐消亡。①

除以上讨论之外，学界对于按劳分配具有"资产阶级权利性质"的解读不尽相同，徐文粉②另将其总结为三种观点：其一，等价交换原则说。马克思所说的"资产阶级权利"就是等量劳动相交换的平等权利，这一权利就商品经济来说是资产阶级对于封建特权的胜利。③资产阶级是资本主义时代的代表，所以商品等价交换中的平等权利也就可以称为"资产阶级权利"。④其二，资产阶级法律说。马克思这里所说的"资产阶级权利"，是指它以确认每个劳动者的劳动能力归个人所有为前提，在消费品分配上实行等价交换原则，等量劳动获得等量报酬，这是资产阶级法律所确认和维护的。⑤其三，

---

① 宋朝龙：《〈哥达纲领批判〉中的"斯芬克斯之谜"——试析生产劳动二重性与"资产阶级权利"》，载《信阳师范学院学报》（哲学社会科学版）2005年第2期。
② 徐文粉：《〈哥达纲领批判〉中马克思关于"资产阶级权利"的思想的三维审视》，载《天府新论》2017年第6期。
③ 朱进东、查正权：《〈哥达纲领批判〉公正观及其对社会主义核心价值观之"公正"的启示》，载《观察与思考》2016年第1期。
④ 若非：《〈哥达纲领批判〉中的"资产阶级权利"是社会主义经济关系范畴》，载《天津社会科学》1983年第3期。
⑤ 梅荣政、王冲：《指导国际共产主义运动健康发展的纲领性文献——读马克思的〈哥达纲领批判〉》，载《高校理论战线》2007年第10期。

形式说。马克思完全是在抽象意义上使用"资产阶级权利"概念的,"它既撇开了社会主义按劳分配同资本主义商品交换各不相同的特殊性质,也撇开了它们各自从属的不同的生产关系"[1],只是就两者形式上的相同——等量劳动相交换——来说的。在资本主义社会,这个权利用形式上的平等掩盖着事实上的不平等,即掩盖了资产者对劳动者剩余劳动的剥削。[2]

可见,关于《哥达纲领批判》中的"资产阶级权利"的内涵、性质、范畴等的讨论一直是学界争论的热点,还有的人认为按劳分配中资产阶级权利的内容没有改变,[3]也有的人认为按劳分配中资产阶级权利的内容和形式都改变了,[4]等等。不管是哪一种观点、说法或阐释都需要我们对马克思论述的"资产阶级权利"进行全方位的审视、整体性的

---

[1] 中共中央文献研究室:《关于建国以来党的若干历史问题的决议注释本》,人民出版社1983年版,第428页。
[2] 魏福明:《试论毛泽东资产阶级权利理论的思想渊源》,载《东南大学学报》(哲学社会科学版)2013年第2期。
[3] 黄山河:《按劳分配中资产阶级权利的内容没有改变——学习〈哥达纲领批判〉札记》,载《中国经济问题》1980年第5期。
[4] 骆耕漠:《论按劳分配的阶级性》,载《光明日报》1979年2月3日。

考察和概念演进史的追问，还原这一概念的出场语境，尊重马克思本来的含义，从而把握其真正的内涵和意蕴。

2.按劳分配到底是按什么分配？

实际上，经典作家所论述的每一个概念都值得深入推敲和细抠，因为对概念的掌握直接关涉对理论的解读，概念理解不当有碍于正确品析理论，弄清概念是分析文本和理论的第一个步骤。那么，《哥达纲领批判》中按劳分配中的"劳"又具体指什么呢？按劳分配究竟是按什么分配？智效和[1]将学者们的不同看法概括如下。

第一种观点：按劳分配就是按劳动创造的价值分配。这种观点即认为，既然马克思在《哥达纲领批判》中所讲的按劳分配的"劳"是凝结形态的劳动，既然全民所有制工业之间还存在商品关系，凝结形态的劳动还表现为价值，既然扩大企业自主权要求把职工的劳动报酬与企业的经营成果联系起来，那么，在商品经济条件下实行的按劳分配实际上就是按劳动创造的价值分配。当然为了摆脱这种

---

[1] 智效和：《按劳分配并不是按劳动创造的价值分配》，载《经济科学》1981年第1期。

矛盾，该种观点的持有者也试图做了一些努力：一些人否认同工同等劳动力在装备程度不同的企业创造不等量的价值，另一些人采用扣除装备优良的企业中人所多创造的那一部分价值的办法，但都不能自圆其说，最终只能陷入难以自洽的困境当中。如汤美莲在分析《哥达纲领批判》的按劳分配中的等价原则时就指出，劳动报酬要与劳动力价值相等价；[①]楚雪[②]、郑耀东[③]指出，《哥达纲领批判》中的按劳分配是按照劳动者的劳动数量和质量进行个人消费品的分配。

第二种观点：按生产产品时实际耗费的劳动量分配。这种观点一方面对第一种观点提出了反驳，认为主张按价值分配的论者，自始就碰到一个不可解脱的矛盾：生产同一产品的同等劳动力，由于所在企业装备优劣程度不同，所以在同一时间内生产的产品数量就不同，以社会必要劳动时间为基础计

[①] 汤美莲：《按劳分配中的等价原则——重读马克思的〈哥达纲领批判〉》，载《消费经济》1993年第2期。
[②] 楚雪：《认真学习马克思主义的按劳分配理论——学习〈哥达纲领批判〉的体会》，载《河北大学学报》(哲学社会科学版) 1975年第1期。
[③] 郑耀东：《社会主义分配原则的光辉论证——重读〈哥达纲领批判〉》，载《经济问题》1992年第1期。

算出来的价值总量就不同，从而与同工种同等劳动力在正常情况下工资收入应当相同发生了矛盾。另一方面指出按劳分配不是按劳动创造的价值分配，而是按生产产品时实际耗费的劳动量或工时来进行分配。恩格斯在《反杜林论》中指出，在公有制条件下，"社会也必须知道，每一种消费品的生产需要多少劳动"，由此来"安排生产计划"，但"无须给产品规定价值"[1]。恩格斯这里讲的不叫价值，而叫需要知道的产品的劳动耗费，就是包含在产品中的抽象的、凝结形态的劳动量；就企业来讲，就是我们平时在企业管理上使用的"工时"概念。赵腾云也认为，等量劳动相交换[2]，在这里"劳动"不是"劳动力"，在马克思设想的按劳分配原则中，需以社会劳动时间为标准来进行计量。[3]

我们要认识到马克思在《哥达纲领批判》中论述的按劳分配，既具有客观必然性，又有一定的历史前提，它是在生产资料全部实现了公有制，即生

---

[1] 《马克思恩格斯选集》第3卷，人民出版社1972年版，第348页。
[2] 雷强：《马克思〈哥达纲领批判〉中的按劳分配理论——读书札记》，载《中山大学学报》(社会科学版)1963年第3期。
[3] 赵腾云：《马克思的"按劳分配"思想及当代价值——以〈哥达纲领批判〉为视角》，载《马克思主义哲学研究》2016年第2期。

产资料归全体劳动者所有,没有商品生产和商品交换条件下的按劳分配。①我国现阶段的社会主义初级阶段中,依然存在着商品交换,它不同于马克思当时所论述的具体历史情形,因此需要我们进一步深入分析商品货币条件下的按劳分配的内容、形式及实现路径。

3. 对马克思分配理论的多维阐发

在社会主义社会即共产主义第一阶段劳动者个人消费品的获得,实行"各尽所能,按劳分配"制度,是马克思在《哥达纲领批判》中反复阐述的一个基本思想,可以说分配理论是马克思在《哥达纲领批判》中论述的重要理论之一。②学界亦对此展开了深刻研讨。

宋官德[③]、言学干[④]指出,限制资产阶级法权是

---

① 何花:《再论马克思的分配理论及其现实意义——重读〈哥达纲领批判〉》,载《华东经济管理》2011年第4期。
② 张大军:《〈哥达纲领批判〉第一章第三节思考题解答》,载《前线》1996年第7期。
③ 宋官德:《限制资产阶级法权是无产阶级专政的重要任务——学习〈哥达纲领批判〉的一点体会》,载《延边大学学报》(哲学社会科学版)1975年第3期。
④ 言学干:《限制资产阶级法权的思想武器——学习〈哥达纲领批判〉》,载《湖南师院学报》(社会科学版)1975年第3期。

无产阶级专政的重要任务,而《哥达纲领批判》就是限制资产阶级法权的思想武器,它有力批判了"分配决定论"是复辟资本主义的谬论。[1]程强认为,马克思在对拉萨尔分配思想进行批判和扬弃的基础上,从社会基础、现实路径、基本原则、社会总产品的分配原理等方面阐述了自己的分配正义思想。[2]韩蕊将《哥达纲领批判》中的分配思想与我国现阶段的按劳分配制度进行比较后指出,我国的按劳分配制度虽然遵循马克思按劳分配的一些原则,但由于我国实践和经济基础[3]的不同,和《哥达纲领批判》中的分配思想还是有一些差别的,虽然我国目前不具备未来社会所必需的种种状况和条件,但是我们的社会主义初级阶段有必要实行按劳分配制度。[4]刘明松则具体论述了我国目前的国情与马克

---

[1] 谢炎基:《"分配决定论"是复辟资本主义的谬论——学习〈哥达纲领批判〉的一点体会》,载《中山大学学报》(哲学社会科学版)1974年第1期。
[2] 程强:《〈哥达纲领批判〉中的分配思想研究》,北方工业大学硕士学位论文,2018年。
[3] 过春阳:《第一阶段按劳分配理论及现实价值——以〈哥达纲领批判〉为视点》,载《人民论坛》2010年第17期。
[4] 韩蕊:《〈哥达纲领批判〉分配思想与我国现阶段的按劳分配制度之比较》,载《山东社会科学》2015年第S2期。

思设想的历史条件相比,实行按劳分配应注意的新的特点:一是按劳分配的主体具有双重性,即市场和企业;二是按劳分配的尺度是劳动效果;三是按劳分配的对象包括劳动者劳动力付出的补偿费和剩余价值中的一部分;四是按劳分配必须借助商品货币形式来实现;五是按劳分配的结果是一部分人较快地先富起来。[1]项镜泉、杨良初认为,税利分流是现阶段实现社会必要扣除的较好形式。[2]李明桂阐发了《哥达纲领批判》中的分配理论的当代价值和现实指导意义:要树立正确的社会财富创造观,树立正确的社会财富分配观,社会总产品分配要讲究原则的坚定性和策略的灵活性,按劳分配理论要体现原则的一般性和适用的特殊性的统一。[3]

(九)围绕马克思正义观的相关争论

马克思在《哥达纲领批判》中亦论及了正义问

---

[1] 刘明松:《马克思"按劳分配"理论及现实意义——再读〈哥达纲领批判〉有感》,载《求索》2004年第6期。
[2] 项镜泉、杨良初:《税利分流是现阶段实现社会必要扣除的较好形式——重学〈哥达纲领批判〉的体会》,载《财政研究》1991年第7期。
[3] 李明桂:《〈哥达纲领批判〉中的分配理论及其当代价值》,苏州大学博士学位论文,2012年。

题，他站在彻底的共产主义立场上实现了对拉萨尔正义观的批判与超越。马克思的正义观最终超越了物质层面的"善品"分配，指向人的自由全面发展和自我实现。[①]学界对马克思的正义观一直都保持着极大的研究兴趣，主要集中在对以下三个问题的探讨。

1. 马克思究竟有无正义思想

国外学者罗伯特·塔克和艾伦·伍德最早开启对马克思正义观的研究。1970年，罗伯特·塔克在《马克思的革命性观念》一书中首次提出了"资本主义是否是不公正的？"这一问题，但艾伦·伍德对这一问题的回答真正地引发了西方学术界的广泛关注和长期争论。起初，这场争论是在艾伦·伍德与齐雅德·胡萨米、加里·杨之间展开的，后来越来越多的学者参与到这场争论中，就马克思的正义问题发表各自的观点。[②]

一是认为马克思没有正义思想。这类观点主要以罗伯特·塔克、艾伦·伍德、德雷克·艾伦、艾

[①] 李真：《超越分配正义：基于〈哥达纲领批判〉的分析》，载《海南大学学报》（人文社会科学版）2018年第4期。
[②] 陈金山：《〈哥达纲领批判〉中的马克思公正观研究》，兰州大学硕士学位论文，2012年。

伦·布坎南、理查德·米勒和卡尔·波普尔等为代表。他们认为，在马克思的著作中，根本没有任何对于正义的真正表述，建立在资本主义经济基础上的正义观念只是适应于当时的社会状况的资产阶级的意识形态之需要，马克思一贯反对使用"正义"这一字眼，马克思的立脚点仅在于从历史唯物主义的立场出发来说明资本主义的生产关系的性质，但他从来都没有基于正义的视角来评判资本主义社会。[1] 如卡尔·波普尔认为，马克思是心怀正义但又苦于"正义"为人所滥用的缘故才不谈"正义"的。[2] 艾伦·伍德则指出，马克思批判正义，目的在于反对对正义概念的"神秘化"和意识形态上的"神圣化"，"正义"描述的只是交易行为和分配制度同生产方式的适合程度，而不是特定的价值取向或应然原则；马克思并没有以"不正义"之名来谴责资本主义。[3] 因此，正义并不是马克思所诉求

---

[1] 刘通:《〈哥达纲领批判〉中马克思公正思想研究》，山东理工大学硕士学位论文，2019年。
[2] ［英］卡尔·波普尔:《开放社会及其敌人》第3卷，陆衡等译，中国社会科学出版社1999年版，第310、319页。
[3] ［美］艾伦·伍德:《马克思对正义的批判》，林进平译，载《马克思主义与现实》2010年第6期。

的对象，马克思更为关注的是人的自由存在和自我实现。①

二是认为马克思存在正义思想。这种观点主要以齐雅德·胡萨米、加里·杨、凯·尼尔森、柯亨、诺曼·杰拉斯以及威尔·金里卡等人为代表。他们质疑，如果说马克思不是以正义作为尺度来批判资本主义，那么马克思又是以什么为标准来批判资本主义的呢？在他们看来，显然，马克思对资本主义的批判必然依据某种具有超越性的道德价值标准。他们认为，按照马克思的历史唯物主义观点，社会主义较之于资本主义的优越性，体现的不是生产力发展上的优越性，而是某种道德价值上的优越性，如比资本主义更加公平、正义、自由、平等、合理等。因此他们认为，马克思正是以正义作为价值评判标准对资本主义展开批判的，并由此得出了资本主义不正义的观点，从而提出并倡导共产主义的正义。也就是说，马克思关于生产方式决定分配方式的历史唯物主义观点是认知和建构分配正义的逻辑前提，其正义思想的逻辑就在于通过变革现实

---

① 郑第腾飞：《马克思公正思想及其当代价值研究——基于〈哥达纲领批判〉的分析》，华侨大学博士学位论文，2017年。

的否定层面来达到更高的积极层面。①

毋庸置疑,马克思肯定是有正义思想的,我们不能仅仅根据正义概念在马克思主义经典作家著作中出现次数的多寡和出现频率的高低来判断马克思是否有正义思想,而应该根据马克思历史观的理论逻辑、基本价值取向、基本方法、基本态度和立场等进行综合性、合理性的解释和论证。②

2.马克思对分配正义的态度

与"马克思究竟有无正义思想"这一问题息息相关的争论,是"马克思对分配正义的态度"是怎样的,相对应地,也有着两种辩驳得相当火热的观点,即一方认为马克思批判或否定分配正义,另一方认为马克思主张和赞成分配正义。③

观点一:马克思对分配正义持批判态度。④林进平、徐俊忠认为马克思是批判和拒斥"分配正义"

---

① 曾建平、郜志刚:《马克思分配公正思想的逻辑生成——基于〈哥达纲领批判〉视阈》,载《道德与文明》2011年第2期。
② 林剑:《论马克思历史观视野下的社会公正思想》,载《马克思主义研究》2013年第8期。
③ 曹艺:《〈哥达纲领批判〉中的分配正义思想研究》,深圳大学硕士学位论文,2018年。
④ 丁晨曦:《论马克思〈哥达纲领批判〉中的分配正义思想》,华中师范大学硕士学位论文,2016年。

与"正义"的,他们在《历史唯物主义视野中的正义观——兼谈马克思何以拒斥、批判正义》一文中强调,马克思在其思想成熟期拒斥、批判正义,这一事实的背后隐含着马克思基于历史唯物主义对正义形成的认识:社会的真正基础和动力是社会生产而不是正义;物质生产和社会经济制度决定了正义的范式及其实质;物质生产的发展决定了正义内容的演变;正义是社会生产发展到一定阶段的产物,是一个历史范畴;是生产决定分配,而不是正义决定分配。简言之,正义归根结底是由物质生产决定的。[1] 林进平在《再论马克思为何拒斥、批判正义》一文中进一步指出,马克思拒斥、批判正义在根本上与他持有的历史唯物主义的思维方法直接相关,但除此之外,还与马克思将正义诉求视为社会有机体存在缺陷的一种症候,视为一种准宗教和意识形态相关。[2] 他在《对分配正义的批判:马克思与哈耶克》一文中,深入比较和分析了马克思与哈耶克

---

[1] 林进平、徐俊忠:《历史唯物主义视野中的正义观——兼谈马克思何以拒斥、批判正义》,载《学术研究》2005年第7期。
[2] 林进平:《再论马克思为何拒斥、批判正义》,载《学术研究》2018年第1期。

批判分配正义的不同的立足点、不同的理论依据和阶级立场。[1]

观点二：马克思对分配正义进行了建构。[2] 段忠桥在《当前中国的贫富差距为什么是不正义的？——基于马克思〈哥达纲领批判〉的相关论述》中开宗明义地指出，马克思的正义观念蕴含着价值判断。[3] 林剑在《应正确理解与阐释马克思分配正义思想》一文中澄清了马克思的分配正义思想，认为马克思反对的不是人们对社会分配正义问题的关注，更不是说分配正义对社会主义来说毫无意义；他反对的是离开社会的生产方式，孤立地、抽象地谈论分配的公平、正义问题；同时他认为社会主义应该首先关注生产方式与生产关系，不改变旧的生产方式与生产关系，就不可能改变旧的

---

[1] 林进平：《对分配正义的批判：马克思与哈耶克》，载《华南师范大学学报》（社会科学版）2004年第6期。
[2] 宋杰：《马克思分配正义思想及其当代境遇研究——基于对〈哥达纲领批判〉的解读》，西南大学硕士学位论文，2019年。
[3] 段忠桥：《当前中国的贫富差距为什么是不正义的？——基于马克思〈哥达纲领批判〉的相关论述》，载《中国人民大学学报》2013年第1期。

分配方式。①他在另一篇文章中还剖析了马克思历史观视野下的社会正义观的具体内涵，指出正义是一个规范性范畴，表达的是一种要求。这种要求既是一种社会对个人的要求，也是个人对社会的一种要求。正义具有历史的性质，不同历史发展阶段对正义有不同的理解与诠释。正义也具有阶级性，同一社会中的不同阶级因其各自的生活条件不同，对正义的诉求也不同。在正义观上，不存在永恒真理"性质"的"永恒正义"，正义观是多元并立与相互竞争的，其中存在着正确与否、合理与否的问题，衡量的根本性的尺度与参照坐标应是社会历史发展的必然性，而不应该是其他。②

通过以上的分析可知，马克思是赞成和主张正义理论的，他在对资本主义分配的丑陋现实进行彻底批判的过程中，建构了自身的分配正义思想。马克思的分配正义思想不是停留于高喊平等与自由的口号上，而是从唯物史观的角度，借助剩余价值学

---

① 林剑：《应正确理解与阐释马克思分配正义思想》，载《哲学动态》2014年第7期。
② 林剑：《论马克思历史观视野下的社会正义观》，载《马克思主义研究》2013年第8期。

说深入分析和挖掘资本主义分配不正义的根源,从而提出"生产决定分配"的科学论断,指出了资本主义必然会被正义的社会主义所取代的历史发展趋势。

3.如何理解马克思的正义观

实际上,多数学者都认为马克思是认同分配正义蕴含着对分配正义思想的建构,这部分学者从思想逻辑、理论内涵、价值意义等不同角度出发,论证了他们各自对马克思正义观的多重理解,为我们正确解析和全面把握马克思的正义观提供了诸多有益探索。

欧阳琼认为,马克思的正义观以历史唯物主义为根基,在本质上要实现人的解放,是改变世界之正义。[1] 赵秀英梳理了马克思在《哥达纲领批判》中对拉萨尔主义公正观的批判逻辑:马克思通过比较分析和逻辑归谬的方法,批驳了拉萨尔主义公正观的一系列错误,指出拉萨尔主义公正观关于公正的基本规定、不公正产生的原因、实现公正的基本原则等方面都存在重大理论问题,马克思的批判逻

---

[1] 欧阳琼:《论〈哥达纲领批判〉中马克思的正义观》,载《理论月刊》2018年第9期。

辑表明，生产要素是马克思公正观的逻辑起点。[①]王广在其《对分配正义的批判与反思——基于〈哥达纲领批判〉的视角》和《分配正义的批判与超越：对〈哥达纲领批判〉的政治哲学解读》两篇论文中，对《哥达纲领批判》进行了政治哲学视域的解读，指出马克思在《哥达纲领批判》中深刻批判了拉萨尔主义者所主张的劳动所有权理论和分配正义观，批判了通过分配以实现正义的理路，阐明了自己在分配问题上的观点。马克思认为，要想真正解决分配问题，不能仅仅囿于正义、公平等政治哲学范畴，不能把正义问题仅仅归结为分配正义，而必须立足于更深层次的生产方式问题和经济社会发展的客观历史规律，[②]要联系物质生产全过程甚至全部社会生活来加以考量。因此，对正义问题的探讨需要超越分配—正义的理路，在更加深广和更为本质的层次上展开。[③]徐斌、张雯认为马克思在《哥

[①] 赵秀英：《〈哥达纲领批判〉关于公正的思想逻辑》，载《中学政治教学参考》2014年第27期。
[②] 王广：《分配正义的批判与超越：对〈哥达纲领批判〉的政治哲学解读》，载《探索》2006年第3期。
[③] 王广：《对分配正义的批判与反思——基于〈哥达纲领批判〉的视角》，载《哲学研究》2009年第10期。

达纲领批判》中在生产方式决定分配方式这一基本原则基础上,以按劳分配和按需分配为主要方式,分别建构了社会主义的形式公正观和共产主义的实质公正观。从马克思公正思想,可以得出几点结论:公正是社会发展的核心尺度;公正是具体的、历史的;公正是相对的;公正具有阶级性,也具有人民性。[1]朱进东、查正权也认为,公正应该是价值判断和事实判断的统一,价值判断为公正树立了理论标准,而事实判断则使得公正得以真正实现;公正是形式和内容的统一,公正与否取决于生产方式,在社会发展的任何一个阶段,作为生产方式的内容和基于生产方式之上的法律所规定的权利平等的形式是统一的;公正也是生产方式和分配形式的统一,有折有扣是基于生产方式之上的分配的公正体现。他们还指出马克思的公正思想能够为我国当下的社会主义核心价值观培育提供正确的指导,明确社会主义公正价值观的特质,以区分于资本主义

---

[1] 徐斌、张雯:《公正批判与建构——〈哥达纲领批判〉中的马克思公正思想》,载《中共中央党校学报》2018年第6期。

的价值观和避免价值观的普世化。[1]王峰明则分析了经济关系与分配正义的内在关联,对《哥达纲领批判》中马克思的"权利—正义观"进行了多个维度的细致辨析。[2]杨慧娟总结了《哥达纲领批判》中马克思分配正义思想的当代启示:要坚持马克思社会公正观的价值导向,理性看待社会财富生产过程、正确发挥土地财富分配功能、提高劳动在初次分配中的比重[3],以加强经济发展过程中的公正;此外,还要加强与完善社会制度建设,营造公正和谐的社会环境。[4]

(十)关于"过渡时期"划分的疑团

国内外学术界较为一致的观点均指出,马克思在《哥达纲领批判》中将共产主义社会划分为共产

---

[1] 朱进东、查正权:《〈哥达纲领批判〉公正观及其对社会主义核心价值观之"公正"的启示》,载《观察与思考》2016年第1期。
[2] 王峰明:《经济关系与分配正义——〈哥达纲领批判〉中马克思的"权利—正义观"辨析》,载《哲学研究》2019年第8期。
[3] 杨慧娟:《马克思分配正义思想及其现实意义——基于〈哥达纲领批判〉》,载《中学政治教学参考》2017年第6期。
[4] 张鹏:《论〈哥达纲领批判〉中的社会公正观》,西安建筑科技大学硕士学位论文,2014年。

主义社会的低级阶段和共产主义社会的高级阶段[①]这两个阶段[②]，科学地预见了未来社会的发展进程[③]。更有学者进一步把无产阶级夺取政权、推翻资本主义统治后的社会发展过程，具体细化为三个互相联系而各具特征的阶段[④]：从资本主义到共产主义第一阶段转变的过渡时期；共产主义社会第一阶段或初级阶段；共产主义社会高级阶段，[⑤]并对三个阶段的关系、区别、特征做了系统的论述，[⑥]认为这是马克思对科学共产主义理论的丰富[⑦]和重大发展[⑧]。然而，

[①] 王格芳：《科学定位社会主义社会的发展阶段——重温〈哥达纲领批判〉的未来社会阶段划分思想及其启示》，载《理论视野》2009年第7期。
[②] [法]伊莎贝尔·加罗：《〈哥达纲领批判〉关于社会主义的创新》，张春颖编译，载《当代世界与社会主义》2013年第5期。
[③] 王格芳：《马克思〈哥达纲领批判〉对社会发展进程的预见》，载《理论学刊》2009年第7期。
[④] 朱熙宁：《关于共产主义第一阶段和分配理论的思考——读〈哥达纲领批判〉》，载《人民论坛》2013年第8期。
[⑤] 骆焉名：《〈哥达纲领批判〉和社会主义建设——纪念马克思逝世100周年》，载《福建师范大学学报》(哲学社会科学版)1982年第4期。
[⑥] 周琬：《论马克思关于未来社会的理论——学习马克思〈哥达纲领批判〉体会》，载《求实》2007年第7期。
[⑦] 康玉琛：《马克思主义关于科学社会主义的理论永放光辉——学习〈哥达纲领批判〉的体会》，载《华侨大学论丛》1984年年刊。
[⑧] [东德]R.德鲁贝克：《〈哥达纲领批判〉对发展共产主义社会理论的意义》，燕宏远摘译，载《哲学译丛》1983年第1期。

对于"过渡时期"的起止时间界限的认识，学界却有不同的理解。

一是"大过渡"论。这种观点即是将整个社会主义社会也纳入在过渡时期之中，实际上就是把马克思所讲的三阶段中的前两个阶段（从资本主义到共产主义初级阶段转变的过渡时期、共产主义社会初级阶段）合并为一个阶段，这样过渡时期在时间上相应拉长，所以理论界称之为"大过渡"观点。过去我们常说社会主义社会是一个相当长的历史时期，在这个时期始终存在着阶级和阶级斗争，始终存在着社会主义和资本主义两条道路的斗争，始终存在着资本主义复辟的危险性，这种说法就是基于"大过渡"的观点。郭志鹏[1]、程宇[2]等也认为，"过渡时期"实质上即为从资本主义社会过渡到共产主义社会的高级阶段，而不是过渡到共产主义社会的低级阶段的一种"大过渡"理论。

二是"中过渡"论。这种观点不赞同将共产主

---

[1] 郭志鹏：《〈哥达纲领批判〉与社会主义发展阶段理论》，载《马克思主义研究》1997年第2期。
[2] 程宇：《只是过渡到社会主义，还是过渡到共产主义？——学习列宁关于过渡时期的提法》，载《学术研究》1979年第5期。

义社会的第一阶段归入过渡时期的范围之内,[①]即是把从无产阶级夺取政权,到进入马克思和恩格斯所设想的发达的社会主义社会这段时间称为过渡时期。"中过渡"的过渡时期,比上文的"大过渡"的时间短,但比下文所讲的"小过渡"的时间长。智效和也是这种观点的持有者,指出过渡时期与社会主义社会存有质的差别,不应混淆"过渡时期"与"共产主义第一阶段"的概念,[②]马克思所言的"过渡时期"是向共产主义社会的第一阶段过渡,社会主义是以过渡时期完成了消灭阶级的任务为前提条件的,[③]在此种意义上可以说,中国"社会主义初级阶段"的公有制即是马克思讲的"过渡时期的公有制"。[④]

三是"小过渡"论。这种观点是根据我国的具体实际情况提出来的,即指我国从1949年中华人

---

① 智效和:《关于"社会主义初级阶段属于过渡时期"的观点述评》,载《理论学刊》2003年第3期。
② 智效和:《混淆"过渡时期"与"共产主义第一阶段"的后果》,载《理论学刊》2005年第2期。
③ 智效和:《辨正马克思的社会主义观》,载《经济科学》2002年第4期。
④ 智效和:《"过渡时期的公有制"与"社会主义社会的公有制"》,载《经济纵横》2009年第4期。

民共和国成立,到1956年社会主义改造基本完成这一段时间。因为这段时间比较短,所以理论界称之为"小过渡"。我们党在对过渡时期的认识上有一个变化过程。1956年以前持"小过渡"观点。如1953年中共中央宣传部经过中央批准印发的《关于党在过渡时期总路线的学习和宣传提纲》指出:"从中华人民共和国成立到建成社会主义社会,是我国由新民主主义社会到社会主义社会的过渡时期。"所谓"建成社会主义社会",就是指实现社会主义工业化,完成对农业、手工业和民族资本主义工商业的社会主义改造。可见,这里的"建成社会主义社会"是指社会主义社会的起点。从1958年开始明显地转变为持"大过渡"观点。如1958年5月5日党的八大二次会议的政治报告指出:"在整个过渡时期,也就是说,在社会主义社会建成以前,无产阶级同资产阶级的斗争,社会主义道路同资本主义道路的斗争,始终是我国社会内部的主要矛盾。"那么,什么时候才算是建成社会主义社会呢?党在1958年通过的《关于在农村建立人民公社的决议》中说:"社会主义建成之日,就是共产主义到来之时。"可见,这里所说的"社会主义社会建成",不是指社会主义社会的起点,而是指社会主义社会的终点。这样就把社会主义社会包括在过渡时期之中,从而把两个阶段融合为一个阶段了。不过1978年党的十一届三中全会召开以后,又逐渐恢复了"小过渡"观点,把过渡时期和社会主义社会看作两个不同的阶段。[①]

经过以上三种过渡观点的对比可以发现,将马克思在《哥达纲领批判》中讲的"过渡时期"理解为"中过渡"是比较合适的,过渡时期太长或太短都不符合马克思的相关论证,因为马克思说《哥达纲领》"既不谈无产阶级的革命专政,也不谈未来共产主义社会的国家制度"[②],这句话一方面即是说不能把"未来共产主义社会的国家制度"与"无产阶级的革命专政"等同起来,另一方面也是对"中过渡"论的有力支撑。

(十一)坚持抑或反对无产阶级专政?

是坚持无产阶级专政还是放弃无产阶级专政,历来是马克思主义同机会主义、修正主义斗争的焦

[①] 赵家祥:《解析"未来共产主义社会的国家制度"——重学〈哥达纲领批判〉和〈国家与革命〉》,载《理论视野》2009年第2期。
[②] 《马克思恩格斯文集》第3卷,人民出版社2009年版,第445页。

点之所在。但在马克思主义被广泛传播和认可之前,针对是否坚持无产阶级专政并没有取得一致的意见,当时无产阶级专政理论的形势也不甚明朗。

一是主张放弃无产阶级专政。历史上曾经对马克思主义的传播和发展做出过重要贡献,后来却走上了机会主义的道路,成为资产阶级的走狗和无产阶级专政的叛徒,如考茨基就是其中之一,他作为德国社会民主党和第二国际的主要领导人之一,由于受到新康德主义和拉萨尔主义的影响,反对无产阶级用暴力推翻资产阶级统治而建立自己的政权,渐渐地脱离了马克思主义的立场、理论、观点及方法,使第二国际逐渐违背了马克思主义。[1]拉萨尔主义者们在纲领草案中用"自由国家"这个资产阶级口号,来反对马克思主义的无产阶级专政学说,力图使地主资产阶级的专政永世长存,不要无产阶级起来推翻反动的普鲁士王朝、建立无产阶级的革命专政,是竭力维护腐朽的资本主义制度的代

---

[1] 陈学明:《罗莎·卢森堡对伯恩斯坦、考茨基修正主义的批判》,载《学海》2009年第2期。

言人。①无产阶级的革命家、理论家、政治家列宁继承和捍卫了马克思在《哥达纲领批判》中关于无产阶级专政的原理的论述,同第二国际修正主义坚决地进行斗争,领导俄国人民胜利地进行了十月革命,建立了世界上第一个无产阶级专政的国家。然而,赫鲁晓夫、勃列日涅夫却又背弃了这一原理,相反却继承了拉萨尔所谓"自由国家"的衣钵,宣扬什么"无产阶级专政在苏联已不再必要了",胡说"无产阶级专政的国家……已变为全民国家",充分暴露了他们背叛无产阶级专政的丑恶嘴脸。②显然,主张放弃无产阶级专政的这种观点是应该摒弃的。

二是主张实行无产阶级专政。朱志华[3]、常清[4]、

---

① 向礼平:《坚持无产阶级专政反对资本主义复辟——学习〈哥达纲领批判〉的一点体会》,载《四川师范学院学报》(社会科学版)1974年第2期。
② 石树:《坚持无产阶级专政的光辉文献——纪念〈哥达纲领批判〉写作一百周年》,载《北京师范大学学报》(社会科学版)1975年第2期。
③ 朱志华:《过渡时期必须坚持无产阶级专政——学习〈哥达纲领批判〉体会》,载《黑龙江大学学报》(哲学社会科学版)1975年第2期。
④ 常清:《坚持无产阶级专政的伟大纲领——学习〈哥达纲领批判〉的体会》,载《青海师院》1974年第1期。

潘宝卿[①]等认为，在从资本主义社会变为共产主义社会之间的政治过渡时期，必须坚持无产阶级专政、坚决捍卫无产阶级专政。刘金玉也指出，必须对资产阶级实行全面专政、必须剥夺剥夺者，[②]而针对资本主义在经济、道德和精神等方面遗留下来的旧社会的痕迹则需要通过大力发展生产力来加以解决。[③]马经[④]、杜肯堂[⑤]对《哥达纲领批判》这一文本给予了高度评价，认为《哥达纲领批判》是无产阶级对资产阶级专政的理论纲领和科学共产主义的光辉文献，它一直引导着全世界无产阶级和劳动人民为实现无产阶级专政而斗争，它所阐发的理论在革命实践中得到了完全的证实，并且今后必将愈来愈显示出它的深远影响。伊彬则主要从"社会主

[①] 潘宝卿：《坚决捍卫无产阶级专政——学习马克思〈哥达纲领批判〉的一点体会》，载《广西师范大学学报》（哲学社会科学版）1974年第3期。

[②] 刘金玉：《无产阶级必须剥夺剥夺者——学习〈哥达纲领批判〉的体会》，载《北京化工学院学报》1974年第3期。

[③] 黄文：《必须对资产阶级实行全面专政——纪念〈哥达纲领批判〉写作一百周年》，载《安徽大学学报》1975年第1期。

[④] 马经：《无产阶级专政的理论纲领——纪念〈哥达纲领批判〉写作百周年》，载《四川大学学报》（哲学社会科学版）1975年第2期。

[⑤] 杜肯堂：《学习〈哥达纲领批判〉坚持社会主义道路》，载《四川大学学报》（哲学社会科学版）1974年第2期。

代替资本主义是社会历史发展的必然规律""暴力革命和无产阶级专政是无产阶级解放的唯一正确道路""限制资产阶级法权是防止资本主义复辟、实现共产主义的重大措施"三个方面概括了《哥达纲领批判》的无产阶级专政理论,从而论证了《哥达纲领批判》中社会主义原理的科学性和正确性。[①]

可见,《哥达纲领批判》在某种意义上也可以说是马克思主义路线同机会主义、修正主义路线做斗争的历史经验总结,一切机会主义、修正主义分子总是竭力维护资本主义的剥削制度,存在着软弱性和腐朽性,因此坚持无产阶级专政应该是每一个马克思主义者的最基本的共识。即使在当今社会,意识形态领域的斗争依然很严峻,坚持马克思主义在意识形态中的指导地位牢牢不能动摇。

(十二)对马克思教育观的梳理与挖掘

不可忽视的内容是,马克思在《哥达纲领批判》第四章第二节中对德国工人党提出的"作为国家的精神的和道德的基础"的要求之一"由国家实行普遍的和平等的国民教育,实行普遍的义务教育,实

---

① 伊彬:《一部科学社会主义的纲领性文献——纪念〈哥达纲领批判〉写作一百周年》,载《吉林师范大学学报》1975年第2期。

行免费教育"①也进行了批判,在批判这一观点的过程中,马克思亦论述和阐发了自身的相关教育思想及理念。

一方面,是对教育内容的总结。对各种反动的错误的教育思想的批判,尤其是对打着"革命的""社会主义的"乃至"马克思主义的"旗号的思想的批判,这是马克思和恩格斯教育思想体系中的一个重要的方面,吴林根认为马克思在《哥达纲领批判》中深刻地批判了拉萨尔派的教育观点,进一步发挥了马克思主义的教育思想,主要包括:其一,教育受制于一定的社会关系,在资本主义制度下,教育对一切阶级不可能是平等的;其二,在资本主义社会条件下,提出通过国家来实施国民教育的要求是荒谬的;其三,不能一概地排斥儿童劳动,而应把教育同物质生产结合起来。②李双套指出,马克思从来没有离开社会政治、经济条件及其与教育的相互作用,离开当时社会的现实情况来谈论教育问题,德国工人党在1875年哥达合并代表

---

① 《马克思恩格斯文集》第3卷,人民出版社2009年版,第446页。
② 吴林根:《〈哥达纲领批判〉中的教育思想及其现实意义》,载《安徽省委党校学报》1991年第3期。

大会前的纲领草案中提出实施普遍义务教育、禁止儿童劳动的主张在当时是不切实际、不可能实现的空想。他还从社会关系决定教育、教育和劳动的关系、不能脱离生产力发展水平谈论排斥儿童劳动等方面梳理了马克思《哥达纲领批判》中的教育思想。① 孙婧将马克思的教育观点概括为以下三点：在阶级社会中，教育具有显著的阶级性；应当对国家保障公民的受教育权和国家对人民进行教育进行严格的区分，因为二者差别巨大；马克思主张将教育与生产联系起来，并加强二者的配合和协调，反对将二者绝对分离开来。②

另一方面，对教育启示的概括。尽管从马克思完成《哥达纲领批判》的写作至今，已有 140 多年的历史了，但文本当中的教育思想对于发展社会主义国家的教育事业仍有着巨大的理论价值和现实启迪意义：坚定中国特色社会主义作为国民教育平等化的前提和基础；重视早期教育并与社会生产劳动

---

① 李双套：《〈哥达纲领批判〉导读》，中共中央党校出版社 2018 年版，第 133—144 页。
② 孙婧：《马克思〈哥达纲领批判〉研究》，东北石油大学硕士学位论文，2015 年。

相结合；实现教育的全面发展。①吴林根总结马克思在《哥达纲领批判》中所阐发的关于教育的观点，对我们当今的社会主义教育事业的指导意义主要表现在三个方面：一是学习马克思在教育问题上始终坚持无产阶级的原则立场；二是学习马克思从政治、经济的广泛联系中，从社会历史的动态进程中谈教育；三是学习马克思在实践进程中掌握好无产阶级的教育策略。②孙文淑提出，我们应重视马克思的教育思想带给我们的有益启示：第一，教育平等是社会主义国家教育事业的重要目标，但教育平等并不等于所有人都接受一样的教育。教育平等是在消灭了社会不平等现象之后才能够真正实现的一种理想状态，它是有一定前提条件和客观基础的。第二，重新审视并处理好政府与教育之间的关系。第三，要坚持理论联系实际的原则，将教育与社会生活实际相联系，要随着社会现实的发展而对

---

① 布海璐、毛维国：《马克思〈哥达纲领批判〉中的教育思想及当代价值》，载《文教资料》2018年第11期。
② 吴林根：《〈哥达纲领批判〉中的教育思想及其现实意义》，载《安徽省委党校学报》1991年第3期。

教育也做出相应的变化和调整。①

（十三）对马克思平等观的概括及阐发

马克思在《哥达纲领批判》中用了不少的篇幅批判了"劳动所得应当不折不扣和按照平等的权利属于社会一切成员"②这一主张，指出了资本主义社会中"平等的权利"背后的不平等，表达了马克思自己的平等观，学界亦从不同维度对马克思的平等观进行了论证。

其一，马克思的平等观的主要内涵。曹鹏从分析资本主义社会的平等入手，详细论证了马克思《哥达纲领批判》中的按劳分配与平等的思想。③吕世伦、公丕祥基于市场经济与平等、平等与不平等的辩证法、平等与效益关系的合理解决等方面论证了马克思《哥达纲领批判》中的平等理论。④何中华分析了马克思《哥达纲领批判》中"平等"问

---

① 孙文淑：《试论马克思〈哥达纲领批判〉中的教育思想及当代启示》，载《佛山科学技术学院学报》（社会科学版）2016年第2期。
② 《马克思恩格斯文集》第3卷，人民出版社2009年版，第428页。
③ 曹鹏：《按劳分配与平等权利——读〈哥达纲领批判〉》，载《贵州大学学报》（哲学社会科学版）1984年第1期。
④ 吕世伦、公丕祥：《社会主义市场经济的法律精神——重读〈哥达纲领批判〉》，载《江苏社会科学》1995年第6期。

题的历史规定及其超越,指出在马克思的语境中,"平等"观念只是一种历史的规定,并未超出"资产阶级权利的狭隘眼界",其是否过时取决于人们所处的特定历史条件,"平等"说到底只是一个前共产主义的概念。当劳动不再仅仅是谋生的手段、劳动的异化被历史地扬弃、财富的尺度发生历史性的改变之际,"平等"和"不平等"及其关系成为问题的问题域本身便被历史地超越和辩证地扬弃了。[1]徐作辉论证了马克思在《哥达纲领批判》中具体是如何超越"资产阶级权利的狭隘眼界"的:马克思以"资产阶级权利的狭隘眼界"指明了资本主义仅以交换价值作为平等的同一性尺度来审视和裁决人的实践与交往的事实,揭示了交换价值基础上的平等权利是资产阶级利用物质条件奴役和剥削无产阶级的正义伪装。社会主义按劳分配的平等权利以劳动作为平等的同一性尺度,虽然保证了剩余价值剥削的不可能性,但却仍然是"资产阶级权利的狭隘眼界"范围内的平等形式。按需分配以满足

---

[1] 何中华:《"平等"问题的历史规定及其超越——重读马克思〈哥达纲领批判〉》,载《山东科技大学学报》(社会科学版)2011年第5期。

不同人的不同需要重新界定了人类平等境域，彻底扬弃了以同一性尺度作为平等计量方式的历史局限，因而超越了"资产阶级权利的狭隘眼界"，是彰显着人的本性生成和自由个性充分实现的真正平等。①

其二，马克思论平等问题的方法论。石润梅指出，历史唯物主义是马克思平等观的理论基础和分析方法；剩余价值学说是马克思批判资产阶级平等权利的有力武器；马克思的平等思想是相对的、具体的、历史的，而非绝对的、抽象的、永恒的平等。②周新城也认为，应该坚持用历史唯物主义的观点理解公平，不存在抽象的、"放之四海而皆准"的公平，存在的只是具体的与社会经济发展相适应的公平标准。随着生产方式的变化，我们的公平观也应与时俱进，不断进行调整。③他在另一篇文章中还提出，研究《哥达纲领批判》要有一个

---

① 徐作辉：《"资产阶级权利的狭隘眼界"及其超越——马克思〈哥达纲领批判〉中的平等议题》，载《党政研究》2019年第2期。
② 石润梅：《马克思〈哥达纲领批判〉中的权利平等观》，武汉大学硕士学位论文，2018年。
③ 周新城：《怎样理解"公平"——读〈哥达纲领批判〉的一点体会》，载《中共福建省委党校学报》2003年第3期。

正确的方法论原则：在考察、研究无产阶级和其他劳动人民获得解放的途径时，要始终把所有制问题放到首位。只有解决了所有制问题，才能解决分配问题。研究分配问题也必须把所有制放在首位。不能仿效资产阶级经济学家，把分配当作中心，不提所有制，围绕着分配兜圈子，这样会堕落为庸俗社会主义的。①何中华分析指出，马克思在《哥达纲领批判》中关于"平等"问题所采取的运思方式是"历史地思"，马克思总是寻求问题本身赖以成立的人的存在论根源、在历史的超越中把握未来的可能性、致力于解构和颠覆使问题赖以成立的条件本身。在"历史地思"的运思方式中，逻辑的完备性只能被归结为历史的辩证法或实践的辩证法。②

其三，马克思平等观的现实启示。李爱华指出，《哥达纲领批判》是阐述马克思主义公平思想的重要代表作，马克思在该文中批判了拉萨尔荒谬的"公平分配"观，全面而深刻地阐明了怎样认识公

---

① 周新城：《研究分配问题必须有一个正确的方法论原则——重读〈哥达纲领批判〉》，载《北京交通大学学报》（社会科学版）2015年第4期。

② 何中华：《"平等"问题的历史规定及其超越——重读马克思〈哥达纲领批判〉》，载《山东科技大学学报》（社会科学版）2011年第5期。

平以及如何实现公平的问题,为国际无产阶级正确开展争取公平的斗争提供了思想指导,也为社会主义国家公平事业的建设和发展奠定了理论基础。马克思的公平思想启示我们:搞社会主义决不能"主要是围绕着分配兜圈子"[1],要谨防使社会主义陷入绝对公平的误区;要坚持和完善按劳分配制度,致力于克服各种不公平现象,着力营造公平的社会环境;要大力发展生产力,为实现社会公平奠定厚实的物质基础。这样才能实现真正的公平。[2] 何贻纶认为,马克思的平等观引领我们解决好两极分化问题,即要继续推进经济体制的改革,促进制度创新,实行效率与公平的有机统一;加大政治体制改革的力度,防止官商结合、防止政策被富有阶层利益绑架。[3] 陆国泰将《哥达纲领批判》中所论述的按劳分配的平等权利对社会主义建设实践的意义

---

[1] 《马克思恩格斯文集》第3卷,人民出版社2009年版,第436页。
[2] 李爱华:《论〈哥达纲领批判〉中的公平思想及现实启示》,载《齐鲁学刊》2014年第4期。
[3] 何贻纶:《马克思平等观及其当代启示——以〈哥达纲领批判〉为视角》,乌鲁木齐:"公平、公正、平等:世界社会主义的理论与实践"学术研讨会暨当代世界社会主义专业委员会2013年年会论文集,2013年,第32—37页。

总结为两个方面：一方面，要解决社会主义企业之间平均主义问题，贯彻多劳、多收入、多分配的原则；另一方面，要解决企业内部劳动者之间的平均主义分配问题，坚持多劳多得、少劳少得、不劳动者不得食的原则。[1]张二芳通过探析《哥达纲领批判》的平等观，强调要实现中国特色社会主义的平等（包括政治领域、经济领域和社会领域"三个层次"的平等），必须树立正确的平等观，把权利平等、形式平等与实质平等有机统一起来，为实现人的自由而全面发展奠定基础。[2]

（十四）对马克思国家观的解读和剖析

马克思在《哥达纲领批判》中除了对共产主义社会的发展阶段进行划分，对共产主义社会的重要特征进行论述，对过渡时期是否要坚持、为何坚持以及如何坚持无产阶级专政进行论证，还对自由国家、现代国家、国家职能、国家消亡等国家观的其他方面进行了理性的思考和有理有据的阐发，为我

---

[1] 陆国泰：《试论按劳分配的平等权利——重读〈哥达纲领批判〉的一些体会》，载《北京商学院学报》1983年第2期。

[2] 张二芳：《中国特色社会主义平等观探析——马克思〈哥达纲领批判〉的当代启示》，载《科学社会主义》2012年第3期。

们深入把握马克思的国家学说提供了很好的研究范本。

薛晰批判了拉萨尔所言的"国家的宗旨和使命在于发展自由,实现人类向着自由的方位发展"[①],认为"自由国家"从唯心史观出发把国家看成超阶级的东西,[②]是对马克思主义国家学说的背叛。[③]马克思还批判了拉萨尔所谓的"国家帮助"原则、批判了拉萨尔主义关于用"和平的合法的手段"来排斥无产阶级革命以及拉萨尔在普选权问题上的谬论等,彻底清算了拉萨尔主义超阶级的反动的国家论,发展了马克思关于国家的学说。[④] 赵家祥专门解析了马克思在《哥达纲领批判》中所讲的"未来共产主义社会的国家制度",认为这并不是特指无产阶级专政的国家制度,其具体内涵应包括三个环

---

① 《机会主义、修正主义资料选编》编译组:《拉萨尔言论》,生活·读书·新知三联书店1976年版,第71页。

② 陆善炯:《批判拉萨尔反动的"国家观"坚持无产阶权专政——学习〈哥达纲领批判〉的体会》,载《武汉师院》1974年第3期。

③ 薛晰:《"自由国家"是对马克思主义国家学说的背叛——学习〈哥达纲领批判〉的一点体会》,载《中央民族学院学报》1974年第2期。

④ 关勋夏:《马克思对拉萨尔主义国家观的批判——读〈哥达纲领批判〉笔记》,载《法学研究》1963年第3期。

节：从资本主义社会到社会主义社会的过渡时期的国家制度是无产阶级专政；过渡时期和无产阶级专政结束进入社会主义社会以后，国家正在消亡，但还没有完全消亡；这种正在消亡而又没有完全消亡的国家，已经失去政治职能，不具有阶级压迫工具的性质，只保留简单管理职能。马克思把这样的国家称为"未来共产主义社会的国家制度"，恩格斯把这样的国家称为"非政治国家"，列宁把这样的国家称为"（半资产阶级）国家"。[1]当然，白雪秋也明确地提出，《哥达纲领批判》中的关于未来社会的"三个阶段"（过渡时期、共产主义的第一阶段、共产主义的高级阶段）并非所有国家唯一的发展路径，但马克思在《1857—1858年经济学手稿》中从人的独立性视角对人类社会发展阶段所作的划分，则是适用于东西方社会一切国家的发展的一般性的规律，然而即使是这样，亦不能依此就强行规定各民族实现人类解放的具体道路和模式的必须同一及固定性，人类社会在遵循一般规律前提下的具

---

[1] 赵家祥：《解析"未来共产主义社会的国家制度"——重学〈哥达纲领批判〉和〈国家与革命〉》，载《理论视野》2009年第2期。

体道路可以是多种多样的。[1]智效和在马克思的理论框架里解读了落后国家的社会主义,指出在马克思的理论框架里看问题,20世纪以来落后国家的社会主义远没有进入共产主义第一阶段,而是处在过渡时期的一定阶段甚至是它的比较初级的阶段。落后国家的社会主义道路实际上是向马克思所讲的社会主义社会过渡的道路;过渡时期的长期性、多阶段性和迂回性,表现出落后国家社会主义道路的特殊性和复杂性,"社会主义初级阶段"之后还不是马克思所讲的共产主义第一阶段,而是向共产主义第一阶段过渡的"中级阶段"和"高级阶段";落后国家向马克思所讲的社会主义社会过渡,不能走直接过渡的道路,而必须走迂回过渡的道路。落后国家可以不经过资本主义制度而走向社会主义,但在一定时期或一定阶段上,必须利用资本主义以建设社会主义。利用资本主义,通过国家资本主义向社会主义过渡,这是落后国家在社会主义道路的框架内承认"两个决不会"的具体表现。因此,落后国家的社会主义实践万万不能混淆过渡时期与共产

---

[1] 白雪秋:《〈哥达纲领批判〉精学导读》,科学出版社2019年版,第66—70页。

主义第一阶段。①陈培永深入分析了在何种意义上谈"国家的消亡"这一问题,指出国家消亡的过程,其实就是国家的阶级统治功能(政治功能、政治属性)不断弱化、社会管理职能(社会功能、社会属性)不断强化的过程,是人类社会的未来发展趋势,强调了"国家消亡论"的科学性、辩证性和历史性,②等等。

综上,经典文本之所以为经典,一个很重要的原因就在于它有着巨大的潜在意义,能够被时代一次又一次地激活并不断被挖掘出新的价值。③我们认真学习和研究马克思主义的经典文本,一方面要回到当时的历史语境中深入挖掘文本中的经典原理,另一方面也应注重带着问题意识去读、对马克思主义经典文本中的经典原理进行创造性的转化和创新性的发展以回应现实问题、解决现实当中的疑惑,让经典理论能够与时俱进地服务于时代的发

---

① 智效和:《落后国家的社会主义:在马克思的理论框架里说话》,载《经济思想史评论》2007年第2期。
② 陈培永:《劳动的解放:〈哥达纲领批判〉新读》,红旗出版社2020年版,第63页。
③ 陈培永:《劳动的解放:〈哥达纲领批判〉新读》,红旗出版社2020年版,第10页。

展，而不至于静止、凝固地停留在过去的历史时代。我们应按照习近平所指出的那样，要坚持原原本本地学习和研读马克思主义经典著作，在读原著、学原文、悟原理上下大功夫、下真功夫、下深功夫、下苦功夫，[1]做到常读常新、深学深悟，努力把马克思主义基本理论变成自身的看家本领。

---

[1] 中共中央宣传部编:《习近平总书记系列重要讲话读本(2016年版)》，学习出版社、人民出版社2016年版，第279页。

参考文献

1.《马克思恩格斯文集》第3卷,人民出版社2009年版。

2.《马克思恩格斯选集》第3卷,人民出版社2012年版。

3.《马克思恩格斯全集》第16卷,人民出版社1964年版。

4.《马克思恩格斯全集》第18卷,人民出版社1964年版。

5.《马克思恩格斯全集》第20卷,人民出版社1971年版。

6.《马克思恩格斯全集》第36卷,人民出版社1975年版。

7. 中共中央文献研究室:《关于建国以来党的若干历史问题的决议注释本》,人民出版社1983年版。

8. 中共中央宣传部编:《习近平总书记系列重要讲话读本(2016年版)》,学习出版社、人民出版社2016年版。

9.《中华魂》编辑部:《认真读点马列原著20讲》,中央文献出版社2006年版。

10. [英]卡尔·波普尔:《开放社会及其敌人》第3卷,陆衡等译,中国社会科学出版社1999年版。

11. [德]弗·梅林:《马克思传》,樊集译,人民出版社1965年版。

12.《机会主义、修正主义资料选编》编译组:《拉萨尔言论》,生活·读书·新知三联书店1976年版。

13. 金炳华主编:《马克思主义哲学大辞典》,上海辞书出版社

2002年版。

14. 蒙木桂:《〈哥达纲领批判〉导读》,中国民主法制出版社2017年版。

15. 陈培永:《劳动的解放:〈哥达纲领批判〉新读》,红旗出版社2020年版。

16. 白雪秋:《〈哥达纲领批判〉精学导读》,科学出版社2019年版。

17. 李双套:《〈哥达纲领批判〉导读》,中共中央党校出版社2018年版。

18. 裴晓军:《马克思〈哥达纲领批判〉研究读本》,中央编译出版社2013年版。

19. 李明桂:《〈哥达纲领批判〉中的公平分配理论研究》,中国社会科学出版社2017年版。

20. 袁媛淑:《社会主义国家宪法发展探讨——基于形式平等和实质平等的视角》,中南大学博士学位论文,2012年。

21. 李明桂:《〈哥达纲领批判〉中的分配理论及其当代价值》,苏州大学博士学位论文,2012年。

22. 郑第腾飞:《马克思公正思想及其当代价值研究——基于〈哥达纲领批判〉的分析》,华侨大学博士学位论文,2017年。

23. 张华波:《马克思共同体思想的历史性生成研究》,电子科技大学博士学位论文,2018年。

24. 贺团卫:《〈哥达纲领批判〉在中国的早期传播和主要版本

研究〉,陕西师范大学博士学位论文,2018年。

25. 苗苗:《人类解放之路——马克思〈哥达纲领批判〉研究》,吉林大学博士学位论文,2018年。

26. 庞庆明:《走向一种现实性的马克思主义政治哲学——以〈哥达纲领批判〉为例》,兰州大学硕士学位论文,2007年。

27. 陆敬国:《〈哥达纲领批判〉中的发展思想及其当代意义研究》,西南大学硕士学位论文,2011年。

28. 陈金山:《〈哥达纲领批判〉中的马克思公正观研究》,兰州大学硕士学位论文,2012年。

29. 张鹏:《论〈哥达纲领批判〉中的社会公正观》,西安建筑科技大学硕士学位论文,2014年。

30. 孙婧:《马克思〈哥达纲领批判〉研究》,东北石油大学硕士学位论文,2015年。

31. 丁晨曦:《论马克思〈哥达纲领批判〉中的分配正义思想》,华中师范大学硕士学位论文,2016年。

32. 黄奇敏:《〈哥达纲领批判〉的分配思想研究》,广西民族大学硕士学位论文,2017年。

33. 程强:《〈哥达纲领批判〉中的分配思想研究》,北方工业大学硕士学位论文,2018年。

34. 曹艺:《〈哥达纲领批判〉中的分配正义思想研究》,深圳大学硕士学位论文,2018年。

35. 石润梅:《马克思〈哥达纲领批判〉中的权利平等观》,武汉大学硕士学位论文，2018年。

36. 刘通：《〈哥达纲领批判〉中马克思公正思想研究》，山东理工大学硕士学位论文，2019年。

37. 宋杰：《马克思分配正义思想及其当代境遇研究——基于对〈哥达纲领批判〉的解读》，西南大学硕士学位论文，2019年。

38. 宋成飞：《〈哥达纲领批判〉的伦理思想研究》，湖南师范大学硕士学位论文，2019年。

39. 刘成成：《马克思〈哥达纲领批判〉中的平等思想》，山东大学硕士学位论文，2019年。

40. 淼森：《不拿原则做交易——读〈哥达纲领批判〉》，载《中国纪检监察报》2018年7月3日第7版。

41. ［美］艾伦·伍德：《马克思对正义的批判》，林进平译，载《马克思主义与现实》2010年第6期。

42. ［法］伊莎贝尔·加罗：《〈哥达纲领批判〉关于社会主义的创新》，张春颖编译，载《当代世界与社会主义》2013年第5期。

43. ［东德］R.德鲁贝克：《〈哥达纲领批判〉对发展共产主义社会理论的意义》，燕宏远摘译，载《哲学译丛》1983年第1期。

44. 孙熙国：《唯物史观的创立与人的本质的发现——从〈关于费尔巴哈的提纲〉一处误译谈起》，载《哲学研究》2005年第11期。

45. 雷英：《〈哥达纲领批判〉的历史背景》，载《前线》1964年第9期。

46. 沙厚生：《马克思著〈哥达纲领批判〉简介》，载《文史哲》1964年第2期。

47. 李宗正、何伟：《马克思的〈哥达纲领批判〉的写作和发表经过》，载《教学与研究》1964年第4期。

48. 裴晓军：《〈哥达纲领批判〉的传播与研究现状探析》，载《晋阳学刊》2013年第4期。

49. 梅荣政、王冲：《指导国际共产主义运动健康发展的纲领性文献——读马克思的〈哥达纲领批判〉》，载《高校理论战线》2007年第10期。

50. 张云飞：《〈哥达纲领批判〉思想诠释》，载《前线》2015年第3期。

51. 白铭：《关于社会主义总产品的分配问题——从〈哥达纲领批判〉说起》，载《财经理论与实践》1993年第5期。

52. 陈培永：《关于劳动问题的政治哲学透视——重读马克思〈哥达纲领批判〉》，载《马克思主义理论学科研究》2020年第2期。

53. 王巍：《〈哥达纲领批判〉的政治哲学思想》，载《中国党政干部论坛》2013年第8期。

54. 赵学清：《马克思是如何论证共享发展的——读〈哥达纲领批判〉的体会》，载《中国浦东干部学院学报》2016年第3期。

55. 魏俊丽、李墨:《〈哥达纲领批判〉蕴含的共享发展思想及其现实意义》,载《中学政治教学参考》2019年第9期。

56. 庄迪悦:《要善于运用阶级分析的方法观察问题》,载《中山大学学报》(哲学社会科学版)1975年第3期。

57. 朱立营:《从〈哥达纲领批判〉看共享的渐进性》,载《中共青岛市委党校·青岛行政学院学报》2018年第2期。

58. 徐耀新:《考茨基与〈哥批〉的发表》,载《南京师大学报》(社会科学版)1981年第3期。

59. 彭继红、孙鹏懿:《从翻译〈哥达纲领批判〉看李达对"中国道路"的探寻》,载《湖南科技学院学报》2020年第1期。

60. 文传洋:《〈哥达纲领批判〉的一条译文与按劳分配问题》,载《经济问题探索》1983年第3期。

61. 金奕:《关于"哥达纲领批判"中译本的一个误译》,载《经济研究》1959年第8期。

62. 刘子威:《〈哥达纲领批判〉中两处不确切译文及其误解的商榷》,载《经济问题》1979年第4期。

63. 于光远:《〈哥达纲领批判〉中译本里的"共产主义社会高级阶段"应译成"共产主义社会的一个更高的阶段"》,载《马克思主义研究》1987年第3期。

64. 常昌武:《科学的理论 伟大的原则——读〈哥达纲领批判〉》,载《经济问题》1990年第4期。

65. 严书翰:《如何把握和理解〈哥达纲领批判〉》,载《毛泽东研究》2017年第5期。

66. 郑今:《在路线问题上没有调和的余地——学习〈哥达纲领批判〉》,载《北京师范大学学报》(社会科学版)1974年第2期。

67. 任厚奎、刘恩庭:《决不能拿原则做交易——学习〈哥达纲领批判〉的体会》,载《四川大学学报》(哲学社会科学版)1975年第4期。

68. 刘田:《马克思对拉萨尔派工人运动观念的批判——读〈哥达纲领批判〉》,载《前沿》2019年第2期。

69. 宋朝龙:《〈哥达纲领批判〉中的一处概念辨析》,载《社会主义研究》2005年第3期。

70. 石树:《坚持无产阶级专政的光辉文献——纪念〈哥达纲领批判〉写作一百周年》,载《北京师范大学学报》(社会科学版)1975年第2期。

71. 李征平:《坚持继续革命 反对复辟倒退——学习〈哥达纲领批判〉的一点体会》,载《西北师大学报》(社会科学版)1974年第3期。

72. 洪涛:《理论问题不能含糊不清——学习〈哥达纲领批判〉的一点体会》,载《郑州大学学报》(哲学社会科学版)1975年第1期。

73. 孟鑫:《论中国特色社会主义理论的科学性—— 从〈哥达纲领批判〉谈起》,载《科学社会主义》2017年第4期。

74. 万资姿、冯浩：《〈哥达纲领批判〉与中国特色社会主义制度》，载《中共中央党校（国家行政学院）学报》2020年第1期。

75. 荣兆梓：《从〈哥达纲领批判〉到社会主义基本经济制度三位一体的新概括》，载《政治经济学评论》2020年第1期。

76. 张扬：《建设社会主义的伟大指针——学习马克思〈哥达纲领批判〉》，载《青海师范学院学报》（哲学社会科学版）1983年第1期。

77. 冯文华：《马克思"两观"在中国社会转型期的现实诉求——基于〈哥达纲领批判〉》，载《今日中国论坛》2013年第1期。

78. 高翔莲、胡家贵：《从〈哥达纲领批判〉看我国现阶段的按劳分配制度》，载《湖北社会科学》2007年第10期。

79. 徐斌、冯楠楠：《〈哥达纲领批判〉的公正思想及其当代价值》，载《中国高校社会科学》2018年第2期。

80. 徐斌、张雯：《公正批判与建构——〈哥达纲领批判〉中的马克思公正思想》，载《中共中央党校学报》2018年第6期。

81. 王学荣：《当代中国的资本逻辑表现形态、双重效应及其求解——基于〈哥达纲领批判〉的文本源流》，载《商业时代》2013年第21期。

82. 周尚文：《略论哥达合并的功过》，载《华东师大学报》1982年第5期。

83. 吴琦生：《评李卜克内西的合并策略》，载《惠阳师专学报》

(社会科学版）1987年第1期。

84. 王礼训：《试论哥达合并的功过》，载《世界史研究动态》1981年第7期。

85. 校纪英：《从组织上埋葬了拉萨尔派》，载《世界史研究动态》1982年第1期。

86. 向春阶：《浅析哥达合并的历史功过》，载《湘潭大学学报》（社会科学版）1993年第4期。

87. 孙景峰：《近年来我国学术界对哥达合并研究综述》，载《惠阳师专学报》（社会科学版）1988年第1期。

88. 孙景峰：《〈哥达纲领〉功大于过》，载《平原大学学报》1986年第4期。

89. 周作翰、邓可吾：《哥达合并是爱森纳赫派对拉萨尔派的投降吗？》，载《湘潭大学社会科学学报》1982年第3期。

90. 孙耀文：《肯定应该恰当——就哥达合并问题与王礼训同志商榷》，载《世界史研究动态》1982年第1期。

91. 万中一：《怎样看待爱森纳赫派与拉萨尔派的合并问题》，载《华东师大学报》1982年第3期。

92. 马伯钧：《李嘉图是"铁的工资规律"的最先提出者》，载《延安大学学报》（社会科学版）1988年第1期。

93. 马伯钧：《〈哥达纲领批判〉研究综述》，载《信阳师范学院学报》（哲学社会科学版）1994年第4期。

94. 李明桂：《〈哥达纲领批判〉视角下公有制主体地位的巩固

与反私有化》，载《广西社会科学》2017年第2期。

95. 孙膺武：《〈哥达纲领批判〉中两种扣除和社会主义价格形成基础问题初探》，载《财政研究》1985年第1期。

96. 薛暮桥：《论社会主义集体所有制》，载《经济研究》1978年第10期。

97. 杨玉川：《对〈哥达纲领批判〉中所谓"集体所有制"的考证》，载《经济研究》1980年第11期。

98. 古克武：《马克思和恩格斯有没有设想过社会主义的集体所有制？》，载《经济研究》1979年第3期。

99. 梅文杰：《马克思明确地提出了"集体所有制"这个概念》，载《经济研究》1979年第12期。

100. 万贵华：《必须维护生产资料公有制——学习〈哥达纲领批判〉的一点体会》，载《广西师范大学学报》(哲学社会科学版)1974年第12期。

101. 林敏成：《地主资本家所有制是劳动人民受苦受难的祸根——学习〈哥达纲领批判〉的一点体会》，载《福建师大》1974年第4期。

102. 徐文粉：《〈哥达纲领批判〉中马克思关于"资产阶级权利"的思想的三维审视》，载《天府新论》2017年第6期。

103. 朱进东、查正权：《〈哥达纲领批判〉公正观及其对社会主义核心价值观之"公正"的启示》，载《观察与思考》2016年第1期。

104. 若非:《〈哥达纲领批判〉中的"资产阶级权利"是社会主义经济关系范畴》,载《天津社会科学》1983年第3期。

105. 魏福明:《试论毛泽东资产阶级权利理论的思想渊源》,载《东南大学学报》(哲学社会科学版)2013年第2期。

106. 宋朝龙:《〈哥达纲领批判〉中的"斯芬克斯之谜"——试析生产劳动二重性与"资产阶级权利"》,载《信阳师范学院学报》(哲学社会科学版)2005年第2期。

107. 黄山河:《按劳分配中资产阶级权利的内容没有改变——学习〈哥达纲领批判〉札记》,载《中国经济问题》1980年第5期。

108. 汤美莲:《按劳分配中的等价原则——重读马克思的〈哥达纲领批判〉》,载《消费经济》1993年第2期。

109. 楚雪:《认真学习马克思主义的按劳分配理论——学习〈哥达纲领批判〉的体会》,载《河北大学学报》(哲学社会科学版)1975年第1期。

110. 郑耀东:《社会主义分配原则的光辉论证——重读〈哥达纲领批判〉》,载《经济问题》1992年第1期。

111. 雷强:《马克思〈哥达纲领批判〉中的按劳分配理论——读书札记》,载《中山大学学报》(社会科学版)1963年第3期。

112. 赵腾云:《马克思的"按劳分配"思想及当代价值——以〈哥达纲领批判〉为视角》,载《马克思主义哲学研究》2016年第2期。

113. 何花：《再论马克思的分配理论及其现实意义——重读〈哥达纲领批判〉》，载《华东经济管理》2011年第4期。

114. 张大军：《〈哥达纲领批判〉第一章第三节思考题解答》，载《前线》1996年第7期。

115. 宋官德：《限制资产阶级法权是无产阶级专政的重要任务——学习〈哥达纲领批判〉的一点体会》，载《延边大学学报》(哲学社会科学版) 1975年第3期。

116. 言学干：《限制资产阶级法权的思想武器——学习〈哥达纲领批判〉》，载《湖南师范学院学报》(社会科学版) 1975年第3期。

117. 谢炎基：《"分配决定论"是复辟资本主义的谬论——学习〈哥达纲领批判〉的一点体会》，载《中山大学学报》(哲学社会科学版) 1974年第1期。

118. 汪春阳：《第一阶段按劳分配理论及现实价值——以〈哥达纲领批判〉为视点》，载《人民论坛》2010年第17期。

119. 韩蕊：《〈哥达纲领批判〉分配思想与我国现阶段的按劳分配制度之比较》，载《山东社会科学》2015年第S2期。

120. 刘明松：《马克思"按劳分配"理论及现实意义——再读〈哥达纲领批判〉有感》，载《求索》2004年第6期。

121. 项镜泉、杨良初：《税利分流是现阶段实现社会必要扣除的较好形式——重学〈哥达纲领批判〉的体会》，载《财政研究》1991年第7期。

122. 李真:《超越分配正义:基于〈哥达纲领批判〉的分析》,载《海南大学学报》(人文社会科学版)2018年第4期。

123. 曾建平、郜志刚:《马克思分配公正思想的逻辑生成——基于〈哥达纲领批判〉视阈》,载《道德与文明》2011年第2期。

124. 林剑:《论马克思历史观视野下的社会公正思想》,载《马克思主义研究》2013年第8期。

125. 林剑:《应正确理解与阐释马克思分配正义思想》,载《哲学动态》2014年第7期。

126. 林进平、徐俊忠:《历史唯物主义视野中的正义观——兼谈马克思何以拒斥、批判正义》,载《学术研究》2005年第7期。

127. 林进平:《再论马克思为何拒斥、批判正义》,载《学术研究》2018年第1期。

128. 林进平:《对分配正义的批判:马克思与哈耶克》,载《华南师范大学学报》(社会科学版)2004年第6期。

129. 段忠桥:《当前中国的贫富差距为什么是不正义的?——基于马克思〈哥达纲领批判〉的相关论述》,载《中国人民大学学报》2013年第1期。

130. 欧阳琼:《论〈哥达纲领批判〉中马克思的正义观》,载《理论月刊》2018年第9期。

131. 赵秀英:《〈哥达纲领批判〉关于公正的思想逻辑》,载《中学政治教学参考》2014年第27期。

132. 王广:《分配正义的批判与超越:对〈哥达纲领批判〉的政治哲学解读》,载《探索》2006年第3期。

133. 王广:《对分配正义的批判与反思——基于〈哥达纲领批判〉的视角》,载《哲学研究》2009年第10期。

134. 王峰明:《经济关系与分配正义——〈哥达纲领批判〉中马克思的"权利—正义观"辨析》,载《哲学研究》2019年第8期。

135. 郭志鹏:《〈哥达纲领批判〉与社会主义发展阶段理论》,载《马克思主义研究》1997年第2期。

136. 杨慧娟:《马克思分配正义思想及其现实意义——基于〈哥达纲领批判〉》,载《中学政治教学参考》2017年第6期。

137. 王格芳:《科学定位社会主义社会的发展阶段——重温〈哥达纲领批判〉的未来社会阶段划分思想及其启示》,载《理论视野》2009年第7期。

138. 王格芳:《马克思〈哥达纲领批判〉对社会发展进程的预见》,载《理论学刊》2009年第7期。

139. 朱熙宁:《关于共产主义第一阶段和分配理论的思考——读〈哥达纲领批判〉》,载《人民论坛》2013年第8期。

140. 骆焉名:《〈哥达纲领批判〉和社会主义建设——纪念马克思逝世100周年》,载《福建师范大学学报》(哲学社会科学版)1982年第4期。

141. 周琬:《论马克思关于未来社会的理论——学习马克思〈哥达纲领批判〉体会》,载《求实》2007年第7期。

142. 程宇:《只是过渡到社会主义,还是过渡到共产主义?——学习列宁关于过渡时期的提法》,载《学术研究》1979年第5期。

143. 智效和:《关于"社会主义初级阶段属于过渡时期"的观点述评》,载《理论学刊》2003年第3期。

144. 智效和:《混淆"过渡时期"与"共产主义第一阶段"的后果》,载《理论学刊》2005年第2期。

145. 智效和:《辨正马克思的社会主义观》,载《经济科学》2002年第4期。

146. 智效和:《"过渡时期的公有制"与"社会主义社会的公有制"》,载《经济纵横》2009年第4期。

147. 智效和:《按劳分配并不是按劳动创造的价值分配》,载《经济科学》1981年第1期。

148. 智效和:《落后国家的社会主义:在马克思的理论框架里说话》,载《经济思想史评论》2007年第2期。

149. 赵家祥:《解析"未来共产主义社会的国家制度"——重学〈哥达纲领批判〉和〈国家与革命〉》,载《理论视野》2009年第2期。

150. 陈学明:《罗莎·卢森堡对伯恩斯坦、考茨基修正主义的批判〉,载《学海》2009年第2期。

151. 向礼平:《坚持无产阶级专政 反对资本主义复辟——学习〈哥达纲领批判〉的一点体会》,载《四川师范学院学报》(社会科学版)1974年第2期。

152. 朱志华:《过渡时期必须坚持无产阶级专政——学习〈哥达纲领批判〉体会》,载《黑龙江大学学报》(哲学社会科学版)1975年第2期。

153. 常清:《坚持无产阶级专政的伟大纲领——学习〈哥达纲领批判〉的体会》,载《青海师院》1974年第1期。

154. 潘宝卿:《坚决捍卫无产阶级专政——学习马克思〈哥达纲领批判〉的一点体会》,载《广西师范大学学报》(哲学社会科学版)1974年第3期。

155. 刘金玉:《无产阶级必须剥夺剥夺者——学习〈哥达纲领批判〉的体会》,载《北京化工学院学报》1974年第3期。

156. 陈静媛:《论共产主义社会两个阶段划分理论的当代意义——读〈哥达纲领批判〉》,载《学理论》2011年第29期。

157. 刘静:《马克思对"国家帮助论"的批判及其启示——基于〈哥达纲领批判〉研究》,载《理论观察》2019年第8期。

158. 周明珠、李志灿:《马克思在〈哥达纲领批判〉中的分配探析》,载《宜春学院学报》2019年第8期。

159. 周毅:《〈哥达纲领批判〉导读与反思》,载《北方文学》2017年第1期。

160. 冉清文：《社会主义运动走向新高潮的条件》，载《青海师范大学学报》（哲学社会科学版）2001年第3期。

161. 黄文：《必须对资产阶级实行全面专政——纪念〈哥达纲领批判〉写作一百周年》，载《安徽大学学报》1975年第1期。

162. 马经：《无产阶级专政的理论纲领——纪念〈哥达纲领批判〉写作百周年》，载《四川大学学报》（哲学社会科学版）1975年第2期。

163. 杜肯堂：《学习〈哥达纲领批判〉坚持社会主义道路》，载《四川大学学报》（哲学社会科学版）1974年第2期。

164. 伊彬：《一部科学社会主义的纲领性文献——纪念〈哥达纲领批判〉写作一百周年》，载《吉林师范大学学报》1975年第2期。

165. 吴林根：《〈哥达纲领批判〉中的教育思想及其现实意义》，载《安徽省委党校学报》1991年第3期。

166. 布海璐、毛维国：《马克思〈哥达纲领批判〉中的教育思想及当代价值》，载《文教资料》2018年第11期。

167. 孙文淑：《试论马克思〈哥达纲领批判〉中的教育思想及当代启示》，载《佛山科学技术学院学报》（社会科学版）2016年第2期。

168. 曹鹏：《按劳分配与平等权利——读〈哥达纲领批判〉》，载《贵州大学学报》（哲学社会科学版）1984年第1期。

169. 吕世伦、公丕祥:《社会主义市场经济的法律精神——重读〈哥达纲领批判〉》,载《江苏社会科学》1995年第6期。

170. 何中华:《"平等"问题的历史规定及其超越——重读马克思〈哥达纲领批判〉》,载《山东科技大学学报》(社会科学版)2011年第5期。

171. 徐作辉:《"资产阶级权利的狭隘眼界"及其超越——马克思〈哥达纲领批判〉中的平等议题》,载《党政研究》2019年第2期。

172. 周新城:《怎样理解"公平"——读〈哥达纲领批判〉的一点体会》,载《中共福建省委党校学报》2003年第3期。

173. 周新城:《研究分配问题必须有一个正确的方法论原则——重读〈哥达纲领批判〉》,载《北京交通大学学报》(社会科学版)2015年第4期。

174. 李爱华:《论〈哥达纲领批判〉中的公平思想及现实启示》,载《齐鲁学刊》2014年第4期。

175. 陆国泰:《试论按劳分配的平等权利——重读〈哥达纲领批判〉的一些体会》,载《北京商学院学报》1983年第2期。

176. 张二芳:《中国特色社会主义平等观探析——马克思〈哥达纲领批判〉的当代启示》,载《科学社会主义》2012年第3期。

177. 陆善炯:《批判拉萨尔反动的"国家观"坚持无产阶权专政——学习〈哥达纲领批判〉的体会》,载《武汉师院》1974

年第3期。

178. 薛晰:《"自由国家"是对马克思主义国家学说的背叛——学习〈哥达纲领批判〉的一点体会》,载《中央民族学院学报》1974年第2期。

179. 关勋夏:《马克思对拉萨尔主义国家观的批判——读〈哥达纲领批判〉笔记》,载《法学研究》1963年第3期。